ANDREW JENNINGS WITH PAUL TUCKER

ARITHMETIC NINJA

FOR AGES 10–11

BLOOMSBURY EDUCATION

LONDON OXFORD NEW YORK NEW DELHI SYDNEY

BLOOMSBURY EDUCATION
Bloomsbury Publishing Plc
50 Bedford Square, London, WC1B 3DP, UK
29 Earlsfort Terrace, Dublin 2, Ireland

BLOOMSBURY, BLOOMSBURY EDUCATION and the Diana logo are trademarks of
Bloomsbury Publishing Plc

First published in Great Britain, 2022
This edition published in Great Britain, 2022

A catalogue record for this book is available from the British Library

ISBN: PB: 978-1-8019-9070-7; ePDF: 978-1-8019-9071-4

2 4 6 8 10 9 7 5 3 1

Text design by Marcus Duck Design

Printed and bound in the UK by Ashford Colour Press

To find out more about our authors and books visit www.bloomsbury.com
and sign up for our newsletters

CONTENTS

OTHER NINJA RESOURCES FOR TEACHERS

FOR TEACHERS

TIMES TABLE NINJA
BY SARAH FARRELL AND ANDREW JENNINGS

A treasure trove of photocopiable multiplication worksheets that give Key Stage 2 pupils all the tools they need to gain fluency in multiplication and division up to their 12 times tables. Each chapter begins with exercises for practising rapid recall, followed by visually engaging activities for applying knowledge to other areas of maths including shape, perimeter, scale factors, fractions and more.

COMPREHENSION NINJA FICTION & POETRY

A set of six books for ages 5–11 that provide strategies and carefully curated resources to teach the key comprehension skills of skimming, scanning and retrieving information effectively. Each book curates 24 high-quality fiction or poetry texts by authors such as Roald Dahl, Katherine Rundell and Chitra Soundar, alongside photocopiable activities with strong links to the National Curriculum.

VOCABULARY NINJA

A practical guide featuring strategies and photocopiable activities to help transform pupils into vocabulary ninjas. With easy-to-follow theory and teaching approaches, as well as key curriculum topic vocabulary, etymology and phrases, this book will help bring the primary curriculum to life.

COMPREHENSION NINJA NON-FICTION

A set of six books for ages 5–11 that provide strategies and carefully curated resources to teach the key comprehension skills of skimming, scanning and retrieving information effectively. Each book presents 24 high-quality non-fiction texts and photocopiable activities with strong links to the National Curriculum.

FOR CHILDREN

WRITE LIKE A NINJA

A pocket-sized book packed full of all the grammar, vocabulary and sentence structures that children need in order to improve and develop their writing skills. Fully aligned to the Key Stage 2 National Curriculum, this book is designed to be used independently by pupils both in the classroom and at home.

BE A MATHS NINJA

Be a Maths Ninja is jam-packed with key concepts, mathematical vocabulary and practice advice to support every child's growing independence in maths. It covers all the key areas of the National Curriculum for Key Stage 2 and is perfect for children needing all the important maths facts at their fingertips.

Head to www.vocabularyninja.co.uk and follow @VocabularyNinja on Twitter for more teaching and learning resources to support the teaching of vocabulary, reading, writing and the wider primary curriculum.

INTRODUCTION

Arithmetic is the study of a core part of mathematics that involves the varied properties of numbers and how they can be manipulated using the four operations: addition, subtraction, multiplication and division. A pupil's ability to confidently calculate using the four operations is essential as it underpins their ability to access the reasoning and mastery objectives set out by the primary National Curriculum.

HOW DOES ARITHMETIC NINJA SUPPORT TEACHERS AND SCHOOLS?

Arithmetic Ninja has been created to support the daily planning, preparation, teaching and assessment of arithmetic throughout each year group and across the whole school from Year 1 to Year 6. Each book contains almost 6,000 arithmetic-style questions and word problems that have been tailored to meet the needs of the primary National Curriculum, meaning that high-quality, whole-school arithmetic teaching and learning can be consistently and effectively embedded within each classroom without any of the time-consuming preparation. It's teaching simplified, learning amplified. Arithmetic Ninja is another outstanding whole-school resource that embodies the Vocabulary Ninja principles of simplicity, consistency and marginal gains!

HOW TO USE THIS BOOK

Arithmetic Ninja is much more than just a series of age-related arithmetic questions. Each day provides three differentiated sets of ten questions. Grasshopper, Shinobi and Grand Master each have a specific focus and purpose to support all pupils in the modern primary classroom.

GRASSHOPPER – CATCH-UP AND KEEP UP

Grasshopper questions have been designed to support pupils who are not working at the expected standard of their year group and require daily opportunities for repeated practice within a standard mathematical representation of part + part = whole (10 + 4 = 14). Grasshopper questions provide opportunities to build confidence in

content from three half-terms prior to the age-related expectation. So, questions in the Spring 2 term will include content from Autumn 2, Spring 1 and Spring 2, allowing pupils to not only catch-up, but keep up too!

SHINOBI – BUILD LINKS AND MAKE CONNECTIONS

Shinobi questions have been created beyond the standard age-related expectation for arithmetic questions. The focus at the Shinobi level is to provide an age-appropriate arithmetic resource – one that provides regular opportunities for pupils to build links and make connections between related mathematical facts. Within the daily series of ten questions, questions have been carefully crafted to allow pupils to make cognitive links between related facts. For example, $9 \times 8 = 72$ and within the Shinobi series, subsequent questions may focus on 0.8×9, $7.2 \div 9$ or even 0.9×0.8. Where possible, the Shinobi strand provides teachers with the mathematical opportunities to dive deeper into a pupil's understanding with effective questioning to support the link-building process and to make these crucial connections.

GRAND MASTER – VARIED FLUENCY, REPRESENTATION AND MASTERY

Grand Master questions provide pupils with a greater level of challenge, with questions bridging into mathematical content up to three half-terms beyond the age-related expectation. So, questions in the Autumn 2 term could also contain content from Spring 1 and Spring 2. Grand Master questions go even further still by presenting questions with varied representations such as whole = part + part ($200 = 160 + 40$) or questions with unknown parts ($200 = \_\_ + 40$). Grand Master questions allow teachers to provide a greater level of challenge for pupils who are ready for it and are designed to provide opportunities for pupils to develop a mastery level of mathematical understanding.

Each Arithmetic Ninja book is an extremely versatile resource for teachers, schools and tutors and could be used to begin daily maths lessons, as part of high-quality intervention, within private tuition or even as part of regular homework provision.

Content map for Arithmetic Ninja

	Autumn term 1: Weeks 1–6	Autumn term 2: Weeks 7–12	Spring term 1: Weeks 13–18	Spring term 2: Weeks 19–25	Summer term 1: Weeks 26–32	Summer term 2: Weeks 33–39
Year 1 (for ages 5–6)	• Number bonds to 10, e.g. 9 + 1 / 1 + 9 • Add one- and two-digit numbers within 20 (13 + 1 / 13 + 2 / 13 + 3) • Include language of 1 more • Double • Count in 2s (lots of)	• Number bonds to 10 (alternate representations) • Number bonds to 20 (alternate representations) • Addition and subtraction within 10 • Count in 2s • Double	• Number bonds to 10 (19 + 1 / 1 + 19) • Add and subtract one-digit numbers within 20 (answer box at beginning OR missing number question, e.g. __ – 7 = 9 OR __ = 16 – 9) • Count in 5s (lots of) • 5 + 5 • 1 more to 50 • Half	• Number bonds to 20 (alternate representations, e.g. 20 = __ + 1) • Add and subtract one- and two-digit numbers within 20 (answer box at beginning OR missing number question, e.g. __ – 7 = 9 OR __ = 16 – 9) • Count in 5s (lots of) • 1 less to 50 • 5 + 5 • Half	• Add and subtract one- and two-digit numbers within 20 (alternate representations including answer and within 30) • Mixed counting in 2s, 5s and 10s • Quarter • 1 less to 100 • Mixed 1 more and 1 less in different	• Mixed adding and subtracting within 20 and within 30 (alternate representations) • Mixed counting in 2s, 5s and 10s • Quarter • 1 less to 100 • Mixed 1 more and 1 less in different representations
Year 2 (for ages 6–7)	• Number bonds to 10 (alternate representations) • Number bonds to 20 (alternate representations) • Addition and subtraction within 10 • Count in 2s • Double	• Addition and subtraction within 20 • Partition two-digit numbers in different ways (20 + 3 / 10 + 13) • Double and half • Quarter	• Add and subtract two-digit and one-digit numbers (34 + 5 / 34 + 6) • Using the inverse (1 + 2 = 3 / 3 – 2 = 1) • 2 times table • Half / two quarters	• Add and subtract two-digit numbers and tens (34 + 10 / 34 + 20 / 34 + 30) • Derive related facts to 100 (3 + 4 = 30 / 30 + 40 = 70 / 70 = 30 + 40) • Thirds	• Add and subtract two two-digit numbers (56 – 22 / 56 – 23 / 79 = __ + 56) • 10 + 10 • Quarter • 1 more to 100	• Add and subtract two two-digit numbers (56 – 22 / 56 – 23 / 79 = __ + 56) • 5 and 10 times tables
Year 3 (for ages 7–8)	• Three-digit numbers add ones (456 + 2 / + 3 / + 4) • Partition two-digit numbers in different ways (80 + 2 / 70 + 12) • Mixed 2, 5 and 10 times tables (including halves and doubles)	• Three-digit numbers subtract ones (456 – 2 / – 3 / – 4) • Partition three-digit numbers in different ways (100 + 40 + 6 / 130 + 16) • 3 and 4 times tables (including quarters)	• Three-digit numbers add tens (456 + 20 / + 30 / + 40) • Derive related facts (30 + 40 / 300 + 400 / 50 + 20) • 8 times table • Add and subtract fractions with the same denominator (+)	• Three-digit numbers subtract tens (456 – 20 / – 30 / – 40) • Add and subtract three-digit numbers (246 – 123 / 123 + 246) • Distribute (4 x 12 x 5 / 4 x 5 x 12) • 20 x 12 = 240 • Mixed times tables • Unit fractions of numbers linking to those times tables	• Three-digit numbers add hundreds (456 + 200 / + 300 / + 400) • Add and subtract three-digit numbers (246 – __ = 132 / 456 – __ + 321) • Derive related facts to 1,000 • Two-digit times one-digit numbers (45 x 3 / 45 x 4)	• Three-digit numbers subtract hundreds (456 – 200 / – 300 / – 400) • Derive related facts to 1,000 • Divide one-digit numbers by ten (40 / 10 then 4 / 10) • Non-unit fraction of number (e.g.) relating to times tables
Year 4 (for ages 8–9)	• 10 / 100 more / less • Mixed times tables (2, 5, 10, 3, 4, 8, including double, half, quarter, etc.) • Multiply three numbers • Add and subtract fractions (same 60 x 2)	• 10 / 100 / 1,000 more / less • Partition four-digit numbers in different ways (3,005 + 340 / 3,300 + 45) • Derive related facts to 10,000 (e.g. 600 x 2) • Three-digit times one-digit numbers • Unit fractions of numbers	• Add and subtract four-digit numbers (4564 + 2323) • __ = 4564 + 2323 • Derive related facts to 10,000 (including fractions of numbers) • Three-digit times one-digit numbers • Non-unit fractions of numbers	• Add and subtract four-digit numbers (4564 + 2323 = __ / __ = __ – 1234) • Derive related facts to 10,000 • Distribute (4 x 12 x 5 / 4 x 5 x 12) • Derive related facts to 1,000 • Two-digit times one-digit numbers (45 x 3 / 45 x 4)	• Add and subtract four-digit numbers (4564 + 2323 = __ / __ / 5737 = __ – 1234) • Derive related facts to 10,000 (e.g. 600 x 2) • Two-digit numbers divided by one-digit numbers • Add and subtract fractions (same denominators; answers bigger than 1)	• Add and subtract decimals (tenths) • Derive related facts to 10,000 • Short division • Multiply simple fractions by whole numbers
Year 5 (for ages 9–10)	• 10 / 100 / 1000 more / less • Partition numbers in different ways • Add and subtract decimals • Derive related facts to 10,000 • All times tables, including deriving related facts	• Powers of 10 more / less • Square / square root • Short multiplication • Three-digit times one-digit numbers • Non-unit fractions of numbers	• 10 / 100 / 1,000 more / less • Square and cube numbers • Multiply and divide by 10, 100 and 1000 • Derive related facts to 100,000 (including fractions) • Add and subtract fractions with the same denominator (answers bigger than 1)	• Add and subtract more than four-digit numbers (84,564 + 12,323 = __ / __ = 84,564 + 12,323) • Multiply and divide by 10, 100 and 1000 • Short division (no remainders) • Add and subtract fractions (including fractions) • Add and subtract fractions where the denominators are multiples of same number (answers bigger than 1)	• Add and subtract more than four-digit numbers (84,564 + 12,323 = __ / __ / 45,737 = __ – 31,234) • Long multiplication • Short division • Multiply simple fractions by whole numbers • Add and subtract mixed numbers	• Decimal long multiplication • Multiply mixed pairs of fractions
Year 6 (for ages 10–11)	• Mixed whole number addition and subtraction • Derive related facts to 100,000 • Multiply and divide by 10, 100 and 1,000 • Add and subtract fractions with denominators that are multiples of the same number	• Mixed decimal addition and subtraction • Derive related facts to 1,000,000 • Add and subtract fractions with different denominators • Fraction of number	• Square and cube numbers • BODMAS • Long multiplication • Multiply pairs of fractions • Find whole from fraction • Percentage of number	• Short division • Long division • Divide fractions by whole numbers • Mixed fractions and percentages of numbers • Fractions to decimals	• Add and subtract decimals (up to hundredths / different number of places) • Find 100%, 10%, 1% • Find 50%, 20%, 25% • Cube / cube root • Find whole from unit fraction • Multiply mixed numbers by whole numbers	• Decimal division • Divide mixed number by whole number

Arithmetic Ninja 10–11 © Andrew Jennings, 2022

WEEK 1

Monday

1.	245	+	132	=	
2.	86	–	32	=	
3.	7	x	8	=	
4.	36	÷	6	=	
5.	101	add	100	=	
6.	102	subtract	70	=	
7.	81	divided by	9	=	
8.	6	multiplied by	7	=	
9.	half	of	50	=	
10.	double		60	=	

Tuesday

1.	173	+	98	=	
2.	121	–	54	=	
3.	6	x	5	=	
4.	42	÷	6	=	
5.	151	add	51	=	
6.	99	subtract	18	=	
7.	48	divided by	6	=	
8.	6	multiplied by	9	=	
9.	half	of	30	=	
10.	double		25	=	

Wednesday

1.	231	+	126	=	
2.	153	–	67	=	
3.	8	x	4	=	
4.	32	÷	8	=	
5.	99	add	49	=	
6.	101	subtract	10	=	
7.	54	divided by	9	=	
8.	4	multiplied by	9	=	
9.	half	of	40	=	
10.	double		60	=	

Thursday

1.	324	+	97	=	
2.	89	–	42	=	
3.	7	x	4	=	
4.	25	÷	5	=	
5.	98	add	27	=	
6.	101	subtract	9	=	
7.	49	divided by	7	=	
8.	5	multiplied by	9	=	
9.	half	of	100	=	
10.	double		50	=	

Friday

1.	298	+	132	=	
2.	201	–	109	=	
3.	12	x	4	=	
4.	48	÷	12	=	
5.	101	add	99	=	
6.	101	subtract	19	=	
7.	64	divided by	8	=	
8.	7	multiplied by	9	=	
9.	half	of	80	=	
10.	double		30	=	

Ninja challenge

Cho has 783 marbles. Tom says he has 640 marbles **fewer** than Cho. **How many** marbles does Tom have?

WEEK 1

Monday

1.	35	÷	10	=
2.	35	÷	100	=
3.	45	÷	10	=
4.	124	÷	10	=
5.	124	÷	100	=
6.	10%	of	45	=
7.	1%	of	45	=
8.	9	x	9	=
9.	9	x	0.9	=
10.	18	x	9	=

Tuesday

1.	97	÷	10	=
2.	97	÷	100	=
3.	123	÷	10	=
4.	9	÷	10	=
5.	1,234	÷	1,000	=
6.	10%	of	90	=
7.	20%	of	90	=
8.	7	x	7	=
9.	7	x	0.7	=
10.	7	x	14	=

Wednesday

1.	9	x	1	=
2.	9	x	0.1	=
3.	9	x	$\frac{1}{10}$	=
4.	$\frac{1}{10}$	of	9	=
5.	$\frac{2}{10}$	of	9	=
6.	10%	of	9	=
7.	20%	of	9	=
8.	8	x	8	=
9.	8	x	0.8	=
10.	8	x	80	=

Thursday

1.	8	x	2	=
2.	8	x	0.2	=
3.	8	x	$\frac{2}{10}$	=
4.	$\frac{1}{10}$	of	80	=
5.	$\frac{2}{10}$	of	80	=
6.	10%	of	80	=
7.	20%	of	80	=
8.	9	x	8	=
9.	9	x	0.8	=
10.	9	x	16	=

Friday

1.	9	x	3	=
2.	9	x	0.3	=
3.	9	x	$\frac{3}{10}$	=
4.	$\frac{1}{10}$	of	90	=
5.	$\frac{3}{10}$	of	90	=
6.	10%	of	90	=
7.	30%	of	90	=
8.	30%	of	900	=
9.	30%	of	9	=
10.	3%	of	90	=

Ninja challenge

Tom says that 7 **groups** of 500 is **equal** to 3,500. Is Tom correct? Explain why.

WEEK 1

	Monday				
1.	12,405	+	1,506	=	
2.	34,917	–	4,682	=	
3.	105	x	4	=	
4.	432	÷	5	=	
5.	9	–	1.14	=	
6.	0.9	÷	10	=	
7.	720	÷	9	=	
8.	12%	of	240	=	
9.	39	x	13	=	
10.	1,035	÷	23	=	

	Tuesday				
1.	32,529	+	7,603	=	
2.	15,739	–	9,909	=	
3.	76	x	5	=	
4.	324	÷	6	=	
5.	8	–	3.56	=	
6.	1.7	÷	100	=	
7.	1,440	÷	12	=	
8.	11%	of	145	=	
9.	42	x	26	=	
10.	2,108	÷	34	=	

	Wednesday				
1.	19,767	+	10,757	=	
2.	20,802	–	11,719	=	
3.	85	x	3	=	
4.	286	÷	4	=	
5.	4	–	1.07	=	
6.	0.9	÷	100	=	
7.	1,320	÷	11	=	
8.	12%	of	97	=	
9.	53	x	17	=	
10.	1,628	÷	37	=	

	Thursday				
1.	24,090	+	9,726	=	
2.	40,000	–	12,405	=	
3.	132	x	6	=	
4.	572	÷	4	=	
5.	10	–	2.56	=	
6.	1.8	÷	10	=	
7.	810	÷	9	=	
8.	11%	of	101	=	
9.	46	x	21	=	
10.	2,106	÷	39	=	

	Friday				
1.	37,109	+	589	=	
2.	25,785	–	6,528	=	
3.	209	x	5	=	
4.	427	÷	7	=	
5.	12	–	1.075	=	
6.	3.2	÷	100	=	
7.	540	÷	6	=	
8.	12%	of	244	=	
9.	32	x	19	=	
10.	504	÷	14	=	

Ninja challenge

Cho says that 123,463 is 24,500 **more than** 98,463. Is Cho correct? Explain why.

WEEK 2

Monday

1.	399	+	101	=	
2.	199	–	101	=	
3.	6	x	9	=	
4.	18	÷	2	=	
5.	120	add	99	=	
6.	150	subtract	19	=	
7.	10%	of	80	=	
8.	25%	of	100	=	
9.	half	of	80	=	
10.	double		100	=	

Tuesday

1.	146	+	136	=	
2.	149	–	51	=	
3.	4	x	11	=	
4.	42	÷	6	=	
5.	150	add	51	=	
6.	201	subtract	99	=	
7.	10%	of	90	=	
8.	25%	of	80	=	
9.	half	of	140	=	
10.	double		80	=	

Wednesday

1.	136	+	109	=	
2.	209	–	111	=	
3.	6	x	8	=	
4.	49	÷	7	=	
5.	250	add	123	=	
6.	238	subtract	53	=	
7.	10%	of	50	=	
8.	25%	of	40	=	
9.	half	of	120	=	
10.	double		80	=	

Thursday

1.	345	+	101	=	
2.	210	–	99	=	
3.	9	x	8	=	
4.	81	÷	9	=	
5.	278	add	105	=	
6.	163	subtract	98	=	
7.	10%	of	60	=	
8.	25%	of	20	=	
9.	half	of	40	=	
10.	double		10	=	

Friday

1.	189	+	89	=	
2.	209	–	99	=	
3.	7	x	8	=	
4.	48	÷	4	=	
5.	312	add	121	=	
6.	431	subtract	202	=	
7.	10%	of	70	=	
8.	25%	of	8	=	
9.	half	of	10	=	
10.	double		6	=	

Ninja challenge

Sam has 20 **groups** of 8 counters. He tells Iko that he has 200 counters. Is Sam correct? Explain why.

Arithmetic Ninja 10–11 © Andrew Jennings, 2022

WEEK 2

Monday

1.	12	x	12	=	
2.	12	x	120	=	
3.	12	x	24	=	
4.	12	x	2.4	=	
5.	144	÷	12	=	
6.	1,440	÷	12	=	
7.	14.4	÷	12	=	
8.	288	÷	12	=	
9.	144	÷	24	=	
10.	144	÷	120	=	

Tuesday

1.	11	x	11	=	
2.	11	x	110	=	
3.	11	x	22	=	
4.	11	x	2.2	=	
5.	121	÷	11	=	
6.	1,210	÷	11	=	
7.	12.1	÷	11	=	
8.	242	÷	11	=	
9.	242	÷	22	=	
10.	121	÷	110	=	

Wednesday

1.	1,234	+	3,245	=	
2.	4	x	25	=	
3.	8	x	25	=	
4.	16	x	25	=	
5.	3,500	=	2,000	+	
6.	100	÷	25	=	
7.	200	÷	25	=	
8.	400	÷	25	=	
9.	$\frac{1}{4}$	of	160	=	
10.	25%	of	160	=	

Thursday

1.	11,234	–	1,001	=	
2.	20	x	25	=	
3.	24	x	25	=	
4.	32	x	25	=	
5.	3,500	=	4,000	–	
6.	600	÷	25	=	
7.	800	÷	25	=	
8.	8,000	÷	25	=	
9.	$\frac{1}{5}$	of	250	=	
10.	20%	of	250	=	

Friday

1.	124	x	10	=	
2.	124	x	5	=	
3.	15	x	6	=	
4.	15	x	12	=	
5.	15	x	24	–	
6.	600	÷	1	=	
7.	600	÷	0.1	=	
8.	1,000	÷	25	=	
9.	$\frac{1}{9}$	of	81	=	
10.	$\frac{2}{9}$	of	81	=	

Ninja challenge

Cho states that 10% of 5,400 is 54. Is Cho correct?

WEEK 2

Monday

1.		+	205	=	909
2.	764	–		=	460
3.	78	x	5	=	
4.	732	÷	3	=	
5.	14	–	2.09	=	
6.	23.21	x	10	=	
7.	360	÷	3	=	
8.	20%	of	244	=	
9.	31	x	27	=	
10.	360	÷	15	=	

Tuesday

1.		+	342	=	848
2.	647	–		=	443
3.	65	x	8	=	
4.	527	÷	4	=	
5.	8	–	4.73	=	
6.	14.4	x	10	=	
7.	480	÷	6	=	
8.	20%	of	340	=	
9.	22	x	18	=	
10.	425	÷	17	=	

Wednesday

1.		+	141	=	813
2.	980	–		=	548
3.	93	x	8	=	
4.	164	÷	5	=	
5.	7	–	1.009	=	
6.	4.08	x	10	=	
7.	270	÷	3	=	
8.	20%	of	560	=	
9.	52	x	34	=	
10.	943	÷	23	=	

Thursday

1.		+	349	=	822
2.	514	–		=	25
3.	142	x	3	=	
4.	264	÷	8	=	
5.	9	–	0.809	=	
6.	0.08	x	10	=	
7.	450	÷	9	=	
8.	20%	of	870	=	
9.	44	x	17	=	
10.	783	÷	27	=	

Friday

1.		+	164	=	893
2.	763	–		=	138
3.	163	x	6	=	
4.	735	÷	4	=	
5.	18	–	1.81	=	
6.	0.05	x	10	=	
7.	420	÷	7	=	
8.	20%	of	690	=	
9.	56	x	28	=	
10.	368	÷	16	=	

Ninja challenge

Iko **subtracts** 100,000 from 394,388. What is her answer?

Monday

1.	401	+	199	=	
2.	201	–	102	=	
3.	6	x	7	=	
4.	24	÷	2	=	
5.	80	÷	10	=	
6.	12	x	10	=	
7.	10%	of	60	=	
8.	25%	of	40	=	
9.	half	of	16	=	
10.	double		9	=	

Tuesday

1.	412	+	78	=	
2.	371	–	98	=	
3.	3	x	7	=	
4.	27	÷	3	=	
5.	50	÷	10	=	
6.	7	x	10	=	
7.	10%	of	90	=	
8.	25%	of	60	=	
9.	half	of	80	=	
10.	double		11	=	

Wednesday

1.	390	+	90	=	
2.	201	–	198	=	
3.	4	x	8	=	
4.	36	÷	3	=	
5.	100	÷	10	=	
6.	9	x	10	=	
7.	10%	of	110	=	
8.	25%	of	120	=	
9.	half	of	200	=	
10.	double		50	=	

Thursday

1.	287	+	123	=	
2.	301	–	102	=	
3.	6	x	8	=	
4.	48	÷	4	=	
5.	120	÷	10	=	
6.	13	x	10	=	
7.	10%	of	120	=	
8.	25%	of	100	=	
9.	half	of	140	=	
10.	double		80	=	

Friday

1.	361	+	99	=	
2.	210	–	19	=	
3.	7	x	8	=	
4.	54	÷	6	=	
5.	150	÷	10	=	
6.	14	x	10	=	
7.	10%	of	190	=	
8.	25%	of	200	=	
9.	half	of	160	=	
10.	double		90	=	

Ninja challenge

Tom starts with the number 600. He **halves** it, then **halves** it again. What number does Tom finish with?

WEEK 3

Monday

1.	0.7	x	10	=	
2.	7	divided by	10	=	
3.	12	x	7	=	
4.	120	x	7	=	
5.	1.2	x	7	=	
6.	900	÷	1	=	
7.	900	÷	0.1	=	
8.	900	x	1	=	
9.	900	x	0.1	=	
10.	900	x	0.2	=	

Tuesday

1.	0.9	x	10	=	
2.	9	divided by	100	=	
3.	20	x	20	=	
4.	30	x	30	=	
5.	40	x	40	=	
6.	700	÷	1	=	
7.	700	÷	0.1	=	
8.	700	x	0	=	
9.	20%	of	70	=	
10.	20%	of	700	=	

Wednesday

1.	7,009	=	7,000	+	
2.	9	x	51	=	
3.	240	÷	4	=	
4.	120	÷	12	=	
5.	49	÷	7	=	
6.	98	÷	7	=	
7.	34.32	x	10	=	
8.	235	x	0	=	
9.	90%	of	70	=	
10.	90%	of	7	=	

Thursday

1.	6,790	=	6,090	+	
2.	9	x	71	=	
3.	490	÷	7	=	
4.	1,440	÷	12	=	
5.	64	÷	8	=	
6.	64	÷	16	=	
7.	134.32	x	10	=	
8.	0	x	567	=	
9.	90%	of	120	=	
10.	90%	of	12	=	

Friday

1.	689	=	700	–	
2.	13	x	12	=	
3.	8,100	÷	9	=	
4.	8,100	÷	90	=	
5.	121	÷	11	=	
6.	121	÷	22	=	
7.	1.44	x	100	=	
8.	9	–	1.3	=	
9.	70%	of	80	=	
10.	$\frac{7}{10}$	of	80	=	

Ninja challenge

Iko **shares** 1,440 **equally** by 12. What answer will Iko get?

Monday

1.		=	564	+	382
2.	184	=		–	463
3.	264	x	6	=	
4.	7.3	+	4.12	=	
5.	8.4	–	1.81	=	
6.	0.05	x	100	=	
7.	101	x	1,000	=	
8.	20%	of	235	=	
9.	11	x	14	=	
10.	156	÷	12	=	

Tuesday

1.		=	504	+	110
2.	141	=		–	260
3.	198	x	7	=	
4.	5.5	+	2.95	=	
5.	9.4	–	2.82	=	
6.	0.06	x	100	=	
7.	10	x	1,000	=	
8.	20%	of	582	=	
9.	12	x	16	=	
10.	182	÷	13	=	

Wednesday

1.		=	217	+	156
2.	384	=		–	576
3.	204	x	9	=	
4.	5.79	+	4.6	=	
5.	5.89	–	4.13	=	
6.	0.16	x	100	=	
7.	111	x	1,000	=	
8.	20%	of	703	=	
9.	14	x	15	=	
10.	255	÷	15	=	

Thursday

1.		=	419	+	222
2.	333	=		–	537
3.	342	x	7	=	
4.	11.3	+	3.56	=	
5.	9.08	–	6.6	=	
6.	1.09	x	100	=	
7.	202	x	1,000	=	
8.	20%	of	823	=	
9.	16	x	19	=	
10.	306	÷	18	=	

Friday

1.		=	634	+	341
2.	448	=		–	121
3.	324	x	3	=	
4.	1.45	+	0.45	=	
5.	12.98	–	9.45	=	
6.	2.1	x	100	=	
7.	102	x	1,000	=	
8.	20%	of	432	=	
9.	19	x	19	=	
10.	380	÷	19	=	

Ninja challenge

If Tom has 900 **groups** of 300, how many does he have in total?

WEEK 4

Monday				
1.	421	+	189	=
2.	462	–	261	=
3.	6	x	9	=
4.	48	÷	4	=
5.	210	÷	10	=
6.	36	x	10	=
7.	10%	of	230	=
8.	50%	of	140	=
9.	half	of	22	=
10.	double		13	=

Tuesday				
1.	387	+	209	=
2.	501	–	199	=
3.	7	x	9	=
4.	99	÷	9	=
5.	310	÷	10	=
6.	27	x	10	=
7.	10%	of	400	=
8.	50%	of	400	=
9.	half	of	44	=
10.	double		14	=

Wednesday				
1.	412	+	159	=
2.	581	–	209	=
3.	11	x	9	=
4.	88	÷	8	=
5.	370	÷	10	=
6.	36	x	10	=
7.	10%	of	290	=
8.	50%	of	200	=
9.	half	of	30	=
10.	double		17	=

Thursday				
1.	398	+	76	=
2.	537	–	94	=
3.	5	x	7	=
4.	42	÷	7	=
5.	410	÷	10	=
6.	29	x	10	=
7.	10%	of	300	=
8.	50%	of	66	=
9.	half	of	50	=
10.	double		24	=

Friday				
1.	369	+	149	=
2.	671	–	168	=
3.	7	x	7	=
4.	24	÷	3	=
5.	360	÷	10	=
6.	24	x	10	=
7.	10%	of	250	=
8.	50%	of	80	=
9.	half	of	26	=
10.	double		14	=

Ninja challenge

Iko says that if she **equally shares** 450 marbles into 9 groups, she will have 40 marbles in each group. Is she correct? Explain why.

WEEK 4

Monday				
1.	456	=	500	−
2.	15	x	15	=
3.	1,080	÷	9	=
4.	1,080	÷	90	=
5.	1,080	÷	0.9	=
6.	169	÷	13	=
7.	13	x	13	=
8.	13	x	1.3	=
9.	15%	of	80	=
10.	30%	of	80	=

Tuesday				
1.	1,234	=	1,130	+
2.	19	x	20	=
3.	19	x	19	=
4.	361	÷	19	=
5.	722	÷	19	=
6.	225	÷	15	=
7.	15	x	15	=
8.	15	x	1.5	=
9.	60%	of	60	=
10.	6%	of	60	=

Wednesday				
1.	81	=	4.5	x
2.	32	x	30	=
3.	32	x	0.3	=
4.	100	÷	25	=
5.	400	÷	25	=
6.	4,000	÷	25	=
7.	25	x	4	=
8.	25	x	12	=
9.	1%	of	600	=
10.	1%	of	60	=

Thursday				
1.	810	=	4.5	x
2.	11	x	22	=
3.	45	x	0.1	=
4.	200	÷	25	=
5.	800	÷	25	=
6.	1,600	÷	25	=
7.	2.5	x	4	=
8.	2.5	x	8	=
9.	11%	of	60	=
10.	11%	of	600	=

Friday				
1.	72	=	16	x
2.	14	x	7	=
3.	14	x	14	=
4.	100	÷	1	=
5.	100	÷	0.1	=
6.	100	÷	$\frac{1}{10}$	=
7.	3.5	x	4	=
8.	3.5	x	8	=
9.	11%	of	70	=
10.	11%	of	700	=

Ninja challenge

Cho says that 10,000 **less than** 184,939 is greater than 1,000 **more than** 173,273. Is Cho correct? Explain why.

WEEK 4

Monday

1.		=	1,032	+	134
2.	322	=		–	349
3.	603	x	3	=	
4.	0.45	+	0.4	=	
5.	5	–	1.45	=	
6.	2.7	÷	10	=	
7.	3.6	x	10	=	
8.	20%	of	47	=	
9.	101,100	+	1,100	=	
10.	321,543	–	23,417	=	

Tuesday

1.		=	873	+	205
2.	556	=		–	567
3.	562	x	5	=	
4.	0.5	+	0.304	=	
5.	9	–	0.08	=	
6.	4.5	÷	10	=	
7.	0.56	x	10	=	
8.	20%	of	63	=	
9.	562,341	+	8,490	=	
10.	45,623	–	9,809	=	

Wednesday

1.		=	782	+	310
2.	558	=		–	101
3.	908	x	3	=	
4.	1.6	+	0.744	=	
5.	12	–	4.54	=	
6.	0.04	÷	10	=	
7.	0.506	x	10	=	
8.	20%	of	45	=	
9.	303,203	+	54,602	=	
10.	500,001	–	499,909	=	

Thursday

1.		=	802	+	299
2.	92	=		–	909
3.	442	x	4	=	
4.	11.505	+	1.32	=	
5.	10	–	5.2	=	
6.	14	÷	10	=	
7.	0.9	x	10	=	
8.	20%	of	101	=	
9.	34,781	+	25,671	=	
10.	100,001	–	90,909	=	

Friday

1.		=	703	+	307
2.	91	=		–	919
3.	216	x	9	=	
4.	13.6	+	5.32	=	
5.	11	–	6.09	=	
6.	23	÷	10	=	
7.	0.09	x	10	=	
8.	20%	of	152	=	
9.	56,821	+	19,891	=	
10.	99,989	–	12,121	=	

Ninja challenge

Sam has 7 **groups of** 906. Tom says that the total of the 7 groups is **equal to** 6,423. Is Sam correct? Explain why.

WEEK 5

	Monday				
1.	432	+	256	=	
2.	372	–	189	=	
3.	8	x	8	=	
4.	33	÷	3	=	
5.	260	÷	10	=	
6.	32	x	10	=	
7.	10%	of	170	=	
8.	50%	of	70	=	
9.	half	of	30	=	
10.	double		21	=	

	Tuesday				
1.	521	+	326	=	
2.	479	–	315	=	
3.	5	x	7	=	
4.	48	÷	4	=	
5.	450	÷	10	=	
6.	22	x	10	=	
7.	10%	of	140	=	
8.	50%	of	160	=	
9.	half	of	34	=	
10.	double		31	=	

	Wednesday				
1.	132	+	90	=	
2.	421	–	90	=	
3.	8	x	7	=	
4.	28	÷	7	=	
5.	290	÷	10	=	
6.	43	x	10	=	
7.	10%	of	190	=	
8.	50%	of	28	=	
9.	half	of	36	=	
10.	double		19	=	

	Thursday				
1.	312	+	99	=	
2.	110	–	39	=	
3.	4	x	7	=	
4.	18	÷	3	=	
5.	420	÷	10	=	
6.	38	x	10	=	
7.	10%	of	350	=	
8.	50%	of	42	=	
9.	half	of	28	=	
10.	double		34	=	

	Friday				
1.	519	+	97	=	
2.	121	–	39	=	
3.	8	x	9	=	
4.	72	÷	6	=	
5.	110	÷	10	=	
6.	19	x	10	=	
7.	10%	of	450	=	
8.	50%	of	500	=	
9.	half	of	36	=	
10.	double		36	=	

Ninja challenge

Cho **doubles** 96. She takes the answer and **doubles** it again. What number does Cho have?

WEEK 5

Monday

1.	560	=	8	x	
2.	8	x	8	=	
3.	16	x	8	=	
4.	16	x	16	=	
5.	121	÷	11	=	
6.	1,210	÷	11	=	
7.	7.5	x	4	=	
8.	7.5	x	8	=	
9.	60	x	10%	=	
10.	10%	of	60	=	

Tuesday

1.	720	=	8	x	
2.	9	x	9	=	
3.	18	x	9	=	
4.	18	x	18	=	
5.	169	÷	13	=	
6.	1,690	÷	13	=	
7.	8.25	x	4	=	
8.	$8\frac{1}{4}$	x	4	=	
9.	70	x	80%	=	
10.	70%	of	800	=	

Wednesday

1.	34	=	8.5	x	
2.	10	x	10	=	
3.	10	x	100	=	
4.	100	x	100	=	
5.	98	÷	7	=	
6.	196	÷	7	=	
7.	196	÷	14	=	
8.	9.25	x	4	=	
9.	$9\frac{1}{4}$	x	4	=	
10.	90	x	80%	=	

Thursday

1.	336	=	84	x	
2.	6	x	6	=	
3.	6	x	12	=	
4.	12	x	12	=	
5.	99	÷	9	=	
6.	990	÷	9	=	
7.	2.5	x	4	=	
8.	$2\frac{1}{2}$	x	4	=	
9.	50	x	20%	=	
10.	20%	of	500	=	

Friday

1.	37	=	9.25	x	
2.	6	x	6	=	
3.	12	x	6	=	
4.	12	x	12	=	
5.	36	÷	6	=	
6.	72	÷	12	=	
7.	72	÷	24	=	
8.	8	x	$\frac{1}{2}$	=	
9.	8	x	0.5	=	
10.	8	x	50%	=	

Ninja challenge

Sam **counts** on 90 **lots of** 100 from 40,300.
What number does Sam count on to?

Arithmetic Ninja 10–11 © Andrew Jennings, 2022

Monday

1.		=	89	+	67
2.	29	=		–	16
3.	3.2	x	9	=	
4.		+	3.2	=	8.8
5.	8.4	–		=	2
6.	45	÷	1,000	=	
7.	0.07	x	100	=	
8.	30%	of	450	=	
9.	10%	of	570	=	
10.	25%	of	800	=	

Tuesday

1.		=	154	+	59
2.	34	=		–	45
3.	4.5	x	7	=	
4.		+	2.9	=	10.6
5.	3.5	–		=	0.6
6.	4.2	÷	1,000	=	
7.	0.9	x	100	=	
8.	30%	of	790	=	
9.	10%	of	610	=	
10.	25%	of	1,000	=	

Wednesday

1.		=	321	+	98
2.	116	=		–	101
3.	6.9	x	6	=	
4.		+	4.1	=	10.9
5.	6.7	–		=	3
6.	175	÷	1,000	=	
7.	3.6	x	100	=	
8.	30%	of	70	=	
9.	10%	of	461	=	
10.	25%	of	640	=	

Thursday

1.		=	497	+	109
2.	42	=		–	286
3.	11.5	x	3	=	
4.		+	2.1	=	11.2
5.	8.4	–		=	3.8
6.	34.7	÷	100	=	
7.	6.9	x	100	=	
8.	30%	of	123	=	
9.	10%	of	735	=	
10.	25%	of	460	=	

Friday

1.		=	588	+	289
2.	214	=		–	506
3.	14.9	x	5	=	
4.		+	5.9	=	14.3
5.	7.6	–		=	3.9
6.	531	÷	1,000	=	
7.	0.78	x	100	=	
8.	30%	of	345	=	
9.	10%	of	125	=	
10.	25%	of	300	=	

Ninja challenge

Tom **adds** 90,304 to 170,849. Tom then **subtracts** 101,273. What total does Tom get?

WEEK 6

Monday

1.	391	+	117	=	
2.	271	–	98	=	
3.	5	x	12	=	
4.	14	÷	7	=	
5.	150	÷	10	=	
6.	46	x	10	=	
7.	10%	of	390	=	
8.	50%	of	410	=	
9.	66	÷	3	=	
10.	24	x	2	=	

Tuesday

1.	405	+	209	=	
2.	451	–	163	=	
3.	5	x	9	=	
4.	36	÷	3	=	
5.	240	÷	10	=	
6.	57	x	10	=	
7.	10%	of	170	=	
8.	50%	of	220	=	
9.	42	÷	2	=	
10.	32	x	2	=	

Wednesday

1.	451	+	193	=	
2.	267	–	132	=	
3.	6	x	12	=	
4.	132	÷	11	=	
5.	560	÷	10	=	
6.	11	x	10	=	
7.	10%	of	190	=	
8.	50%	of	420	=	
9.	46	÷	2	=	
10.	28	x	2	=	

Thursday

1.	248	+	217	=	
2.	341	–	217	=	
3.	8	x	12	=	
4.	144	÷	12	=	
5.	360	÷	10	=	
6.	28	x	10	=	
7.	10%	of	320	=	
8.	50%	of	640	=	
9.	62	÷	2	=	
10.	54	x	2	=	

Friday

1.	354	+	309	=	
2.	421	–	218	=	
3.	11	x	12	=	
4.	36	÷	4	=	
5.	450	÷	10	=	
6.	32	x	10	=	
7.	10%	of	420	=	
8.	50%	of	300	=	
9.	69	÷	3	=	
10.	34	x	2	=	

Ninja challenge

Sam says that 1,790 **more than** 840 is 2,160. Is Sam correct? Explain why.

Monday

1.	4	=	8	x	
2.	7	x	6	=	
3.	14	x	6	=	
4.	14	x	12	=	
5.	49	÷	7	=	
6.	49	÷	14	=	
7.	490	÷	14	=	
v	10	x	$\frac{1}{2}$	=	
9.	10	x	0.5	=	
10.	10	x	50%	=	

Tuesday

1.	5	=	10	x	
2.	9	x	6	=	
3.	9	x	12	=	
4.	9	x	24	=	
5.	10	–	0.5	=	
6.	10	–	$\frac{1}{2}$	=	
7.	10	–	$\frac{2}{4}$	=	
8.	12	x	$\frac{1}{2}$	=	
9.	12	x	0.5	=	
10.	12	x	50%	=	

Wednesday

1.	6	=	12	x	
2.	9	x	7	=	
3.	90	x	7	=	
4.	91	x	7	=	
5.	10	–	0.7	=	
6.	10	–	$\frac{7}{10}$	=	
7.	10	–	$\frac{14}{20}$	=	
8.	100	x	$\frac{1}{2}$	=	
9.	100	x	0.5	=	
10.	100	x	50%	=	

Thursday

1.	50	=	100	x	
2.	8	x	6	=	
3.	80	x	6	=	
4.	81	x	6	=	
5.	10	–	0.8	=	
6.	10	–	$\frac{8}{10}$	=	
7.	10	–	$\frac{16}{20}$	=	
8.	100	x	$\frac{1}{4}$	=	
9.	100	x	0.25	=	
10.	100	x	25%	=	

Friday

1.	25	=	100	x	
2.	9	x	12	=	
3.	90	x	12	=	
4.	91	x	12	=	
5.	10	–	0.4	=	
6.	10	–	$\frac{4}{10}$	=	
7.	10	–	$\frac{2}{5}$	=	
8.	100	x	$\frac{1}{4}$	=	
9.	100	x	$\frac{1}{8}$	=	
10.	100	x	12.5%	=	

Ninja challenge

Sam says that 90 **groups** of 40 is **equal** to 360. Is Sam correct? Explain why.

WEEK 6

Monday

1.	191	=		+	90
2.	91	=		−	19
3.	420	÷	6	=	
4.	216	x	1	=	
5.	7	−		=	2.5
6.	530	÷	10	=	
7.	0.7	x	1,000	=	
8.	10%	of	782	=	
9.	1%	of	300	=	
10.	2%	of	700	=	

Tuesday

1.	118	=		+	19
2.	91	=		−	10
3.	990	÷	9	=	
4.		x	1	=	301
5.	9	−	5.9	=	
6.	410	÷	10	=	
7.	0.04	x	1,000	=	
8.	10%	of	512	=	
9.	1%	of	600	=	
10.	2%	of	800	=	

Wednesday

1.	218	=		+	19
2.	92	=		−	19
3.	180	÷	3	=	
4.	521	x	0	=	
5.	12	−		=	5.28
6.	612	÷	10	=	
7.	0.49	x	1,000	=	
8.	10%	of	812	=	
9.	1%	of	45	=	
10.	2%	of	78	=	

Thursday

1.	220	=		+	31
2.	99	=		−	20
3.	450	÷	5	=	
4.	215	x	1	=	
5.	13	−		=	8.81
6.	852	÷	10	=	
7.	0.72	x	1,000	=	
8.	10%	of	634	=	
9.	1%	of	78	=	
10.	2%	of	43	=	

Friday

1.	110	=		+	21
2.	91	=		−	30
3.	1,210	÷	11	=	
4.	412	x	1	=	
5.	5	−		=	2.44
6.	512	÷	10	=	
7.	0.91	x	1,000	=	
8.	10%	of	302	=	
9.	1%	of	87	=	
10.	2%	of	56	=	

Ninja challenge

Cho **divides** 360,000 into **equal groups** of 12. How many equal groups of 12 will Cho have?

Arithmetic Ninja 10–11 © Andrew Jennings, 2022

WEEK 7

Monday

1.	652	+	298	=	
2.	546	–	193	=	
3.	8	x	6	=	
4.	28	÷	7	=	
5.	640	÷	10	=	
6.	12	x	10	=	
7.	10%	of	140	=	
8.	50%	of	800	=	
9.	63	÷	3	=	
10.	35	x	2	=	

Tuesday

1.	567	+	342	=	
2.	672	–	472	=	
3.	7	x	12	=	
4.	96	÷	12	=	
5.	720	÷	10	=	
6.	14	x	10	=	
7.	10%	of	240	=	
8.	50%	of	44	=	
9.	96	÷	3	=	
10.	27	x	2	=	

Wednesday

1.	637	+	184	=	
2.	618	–	242	=	
3.	7	x	9	=	
4.	42	÷	6	=	
5.	320	÷	4	=	
6.	17	x	10	=	
7.	10%	of	320	=	
8.	50%	of	82	=	
9.	96	÷	8	=	
10.	46	x	2	=	

Thursday

1.	623	+	182	=	
2.	652	–	371	=	
3.	4	x	9	=	
4.	42	÷	6	=	
5.	270	÷	10	=	
6.	16	x	10	=	
7.	10%	of	190	=	
8.	50%	of	90	=	
9.	68	÷	2	=	
10.	46	x	2	=	

Friday

1.	585	+	317	=	
2.	628	–	195	=	
3.	7	x	8	=	
4.	64	÷	8	=	
5.	510	÷	10	=	
6.	52	x	10	=	
7.	10%	of	430	=	
8.	50%	of	70	=	
9.	86	÷	2	=	
10.	37	x	2	=	

Ninja challenge

Tom has 1,000 **fewer** marbles than Iko. Iko has 4,500 marbles. How many marbles does Tom have?

WEEK 7

Monday

1.	12.5	=	100	x	
2.	$\frac{1}{9}$	of	108	=	
3.	$\frac{2}{9}$	of	108	=	
4.	$\frac{2}{9}$	x	10.8	=	
5.	100	–	35	=	
6.	10	–	3.5	=	
7.	10	–	$\frac{1}{4}$	=	
8.	100	x	0.75	=	
9.	100	x	$\frac{3}{4}$	=	
10.	100	x	75%	=	

Tuesday

1.	75	=	$\frac{3}{4}$	x	
2.	$\frac{1}{12}$	of	144	=	
3.	$\frac{2}{12}$	of	144	=	
4.	$\frac{2}{12}$	x	14.4	=	
5.	100	–	85	=	
6.	10	–	8.5	=	
7.	10	–	$\frac{3}{4}$	=	
8.	10	–	0.75	=	
9.	10	–	$\frac{6}{8}$	=	
10.	10	x	$\frac{3}{4}$	=	

Wednesday

1.	7.5	=	$\frac{3}{4}$	x	
2.	$\frac{1}{25}$	of	100	=	
3.	$\frac{2}{25}$	of	100	=	
4.	$\frac{4}{50}$	of	100	=	
5.	10	–	0.9	=	
6.	10	–	$\frac{9}{10}$	=	
7.	10	–	$\frac{18}{20}$	=	
8.	3,456	+	1,100	=	
9.	8	divided by	$\frac{1}{2}$	=	
10.	16	÷	$\frac{1}{2}$	=	

Thursday

1.	16	=	8	÷	
2.	$\frac{1}{25}$	of	200	=	
3.	$\frac{2}{25}$	of	200	=	
4.	$\frac{4}{50}$	of	2,000	=	
5.	10	–	0.8	=	
6.	10	–	$\frac{8}{10}$	=	
7.	10	–	$\frac{4}{5}$	=	
8.	3,456	+	1,200	=	
9.	12	divided by	$\frac{1}{2}$	=	
10.	12	÷	$\frac{1}{4}$	=	

Friday

1.	24	=	12	÷	
2.	$\frac{1}{25}$	of	200	=	
3.	$\frac{1}{25}$	of	400	=	
4.	$\frac{2}{50}$	of	400	=	
5.	10	–	0.6	=	
6.	10	–	$\frac{6}{10}$	=	
7.	10	–	$\frac{3}{5}$	=	
8.	9,008	–	1,000	=	
9.	15	divided by	$\frac{1}{2}$	=	
10.	15	÷	$\frac{1}{4}$	=	

Ninja challenge

Cho states that 80% of 4,600 is 3,600. Is Cho correct?

Monday

1.	58,064	=	45,412	+	
2.	23,050	=		–	9,451
3.	840	÷	7	=	
4.	47	x	6	=	
5.	3	–	0.54	=	
6.	2^2	+	3^2	=	
7.	4^2	–	2^2	=	
8.	10%	of	302	=	
9.	5%	of	80	=	
10.	20%	of	56	=	

Tuesday

1.	71,753	=	61,234	+	
2.	29,912	=		–	30,554
3.	1,320	÷	12	=	
4.	73	x	6	=	
5.	6	–	0.98	=	
6.	3^2	+	3^2	=	
7.	4^2	–	1^2	=	
8.	10%	of	420	=	
9.	5%	of	120	=	
10.	20%	of	86	=	

Wednesday

1.	80,707	=	74,810	+	
2.	18,875	=		–	6,838
3.	960	÷	8	=	
4.	153	x	4	=	
5.	9	–	0.37	=	
6.	5^2	+	3^2	=	
7.	5^2	–	3^2	=	
8.	10%	of	573	=	
9.	5%	of	240	=	
10.	20%	of	105	=	

Thursday

1.	106,960	=	105,426	+	
2.	45,351	=		–	45,505
3.	1,200	÷	10	=	
4.	176	x	4	=	
5.	10	–	0.76	=	
6.	6^2	+	2^2	=	
7.	6^2	–	3^2	=	
8.	10%	of	713	=	
9.	5%	of	360	=	
10.	20%	of	260	=	

Friday

1.	148,111	=	137,438	+	
2.	33,144	=		–	17,590
3.	810	÷	9	=	
4.	532	x	7	=	
5.	14	–	0.92	=	
6.	8^2	+	6^2	=	
7.	9^2	–	6^2	=	
8.	10%	of	651	=	
9.	5%	of	820	=	
10.	20%	of	960	=	

Ninja challenge

Iko states that 45% of 640 is 298. Is Iko correct?

WEEK 8

Monday

1.	572	–	289	=	
2.	762	+	94	=	
3.	64	÷	8	=	
4.	7	x	6	=	
5.	420	÷	10	=	
6.	76	x	10	=	
7.	10%	of	710	=	
8.	25%	of	60	=	
9.	264	÷	2	=	
10.	33	x	3	=	

Tuesday

1.	452	–	199	=	
2.	764	+	199	=	
3.	144	÷	12	=	
4.	8	x	9	=	
5.	620	÷	10	=	
6.	14	x	10	=	
7.	10%	of	980	=	
8.	25%	of	80	=	
9.	428	÷	2	=	
10.	46	x	3	=	

Wednesday

1.	761	–	349	=	
2.	241	+	173	=	
3.	84	÷	12	=	
4.	8	x	4	=	
5.	760	÷	10	=	
6.	21	x	10	=	
7.	10%	of	530	=	
8.	25%	of	120	=	
9.	284	÷	2	=	
10.	64	x	3	=	

Thursday

1.	893	–	672	=	
2.	461	+	369	=	
3.	36	÷	6	=	
4.	6	x	4	=	
5.	490	÷	10	=	
6.	52	x	10	=	
7.	10%	of	130	=	
8.	25%	of	200	=	
9.	428	÷	2	=	
10.	43	x	3	=	

Friday

1.	963	–	728	=	
2.	512	+	132	=	
3.	72	÷	6	=	
4.	9	x	4	=	
5.	620	÷	10	=	
6.	19	x	10	=	
7.	10%	of	120	=	
8.	25%	of	160	=	
9.	628	÷	2	=	
10.	54	x	3	=	

Ninja challenge

Sam says 4,500 is 2,500 **less than** 8,000. Is Sam correct? Explain why.

Arithmetic Ninja 10–11 © Andrew Jennings, 2022

Monday

1.	30	=	15	÷	
2.	$\frac{1}{4}$	x	10	=	
3.	0.25	of	10	=	
4.	$\frac{2}{8}$	of	10	=	
5.	100	–	61	=	
6.	10	–	6.1	=	
7.	10	–	$\frac{2}{5}$	=	
8.	10,000	–	1,000	=	
9.	20	divided	$\frac{1}{2}$	=	
10.	20	÷	$\frac{3}{6}$	=	

Tuesday

1.	40	=	20	÷	
2.	$\frac{3}{4}$	x	10	=	
3.	0.75	x	10	=	
4.	$\frac{3}{4}$	of	10	=	
5.	$\frac{6}{8}$	of	10	=	
6.	75%	of	10	=	
7.	75%	of	20	=	
8.	20	x	$\frac{75}{100}$	=	
9.	20	x	75%	=	
10.	20	x	$\frac{6}{8}$	=	

Wednesday

1.	15	=	7.5	÷	
2.	$\frac{3}{4}$	x	100	=	
3.	0.75	x	100	=	
4.	$\frac{3}{4}$	of	100	=	
5.	$\frac{6}{8}$	of	100	=	
6.	75%	of	100	=	
7.	75%	of	200	=	
8.	200	x	$\frac{75}{100}$	=	
9.	200	x	75%	=	
10.	200	x	$\frac{6}{8}$	=	

Thursday

1.	200	=	100	÷	
2.	$\frac{3}{4}$	x	1,000	=	
3.	0.75	x	1,000	=	
4.	$\frac{3}{4}$	of	1,000	=	
5.	$\frac{6}{8}$	of	1,000	=	
6.	75%	of	1,000	=	
7.	75%	of	2,000	=	
8.	2,000	x	$\frac{75}{100}$	=	
9.	2,000	x	75%	=	
10.	2,000	x	$\frac{6}{8}$	=	

Friday

1.	400	=	200	÷	
2.	$\frac{3}{4}$	x	1	=	
3.	0.75	x	1	=	
4.	$\frac{3}{4}$	of	1	=	
5.	$\frac{9}{12}$	of	1	=	
6.	75%	of	1	=	
7.	75%	of	2	=	
8.	2	x	$\frac{75}{100}$	=	
9.	2	x	75%	=	
10.	2	x	$\frac{6}{8}$	=	

Ninja challenge

Iko says that one quarter of 800,000 is equal to 100,000 x 2. Is Iko correct? Explain why.

WEEK 8

Monday

1.	148,111	+	137,438	=	
2.	133,144	–	50,734	=	
3.	630	÷	9	=	
4.	142	x	3	=	
5.	14.4	+	0.92	=	
6.	7^2	+	6^2	=	
7.	8^2	–	6^2	=	
8.	45	x	65	=	
9.	1.45	x	4	=	
10.	1,035	÷	23	=	

Tuesday

1.	86,735	+	54,721	=	
2.	78,429	–	17,543	=	
3.	480	÷	8	=	
4.	439	x	4	=	
5.	17.6	+	1.52	=	
6.	9^2	+	4^2	=	
7.	9^2	–	5^2	=	
8.	29	x	32	=	
9.	4.26	x	5	=	
10.	882	÷	21	=	

Wednesday

1.	89,592	+	13,673	=	
2.	56,333	–	21,544	=	
3.	350	÷	7	=	
4.	541	x	4	=	
5.	20.1	+	2.54	=	
6.	9^2	+	3^2	=	
7.	7^2	–	4^2	=	
8.	43	x	19	=	
9.	5.63	x	6	=	
10.	736	÷	32	=	

Thursday

1.	45,692	+	20,150	=	
2.	156,326	–	99,090	=	
3.	270	÷	9	=	
4.	629	x	2	=	
5.	63.6	+	5.43	=	
6.	8^2	+	4^2	=	
7.	10^2	–	5^2	=	
8.	33	x	22	=	
9.	3.97	x	7	=	
10.	408	÷	24	=	

Friday

1.	80,091	+	32,564	=	
2.	65,729	–	23,461	=	
3.	180	÷	9	=	
4.	621	x	6	=	
5.	79.2	+	23.56	=	
6.	9^2	+	6^2	=	
7.	9^2	–	8^2	=	
8.	27	x	82	=	
9.	8.03	x	8	=	
10.	1,568	÷	28	=	

Ninja challenge

Cho **adds** an unknown number to 506,583 and gets an answer of 789,667. What is Cho's unknown number?

Arithmetic Ninja 10–11 © Andrew Jennings, 2022

WEEK 9

Monday

1.	100	–	45	=	
2.	49	+	24	=	
3.	42	÷	6	=	
4.	3	x	7	=	
5.	27	÷	3	=	
6.	4	x	10	=	
7.	10%	of	120	=	
8.	50%	of	18	=	
9.	462	÷	2	=	
10.	23	x	3	=	

Tuesday

1.	101	–	59	=	
2.	74	+	35	=	
3.	32	÷	4	=	
4.	5	x	8	=	
5.	28	÷	4	=	
6.	7	x	10	=	
7.	10%	of	240	=	
8.	50%	of	40	=	
9.	808	÷	2	=	
10.	35	x	5	=	

Wednesday

1.	120	–	38	=	
2.	87	+	67	=	
3.	55	÷	5	=	
4.	7	x	5	=	
5.	56	÷	7	=	
6.	9	x	10	=	
7.	10%	of	320	=	
8.	50%	of	100	=	
9.	348	÷	4	=	
10.	29	x	6	=	

Thursday

1.	156	–	57	=	
2.	93	+	84	=	
3.	24	÷	2	=	
4.	7	x	4	=	
5.	24	÷	3	=	
6.	12	x	10	=	
7.	10%	of	450	=	
8.	50%	of	120	=	
9.	256	÷	4	=	
10.	42	x	6	=	

Friday

1.	178	–	89	=	
2.	103	+	98	=	
3.	27	÷	9	=	
4.	8	x	3	=	
5.	32	÷	4	=	
6.	15	x	10	=	
7.	10%	of	510	=	
8.	50%	of	200	=	
9.	256	÷	4	=	
10.	31	x	4	=	

Ninja challenge

Iko **doubles** 2.1. Tom **halves** 8.6. Who has more?

WEEK 9

Monday

1.	10,000	=	100,000	÷	
2.	9	x	9	=	
3.	9	x	90	=	
4.	√81	x	1	=	
5.	√81	x	10	=	
6.	√81	÷	10	=	
7.	√8,100	x	1	=	
8.	√8,100	x	10	=	
9.	√8,100	÷	10	=	
10.	√0.81	x	1	=	

Tuesday

1.	1,000,000	=	100,000	x	
2.	8	x	8	=	
3.	8	x	80	=	
4.	√64	x	1	=	
5.	√64	x	10	=	
6.	√64	÷	10	=	
7.	√6,400	x	1	=	
8.	√6,400	x	10	=	
9.	√6,400	÷	10	=	
10.	√0.64	x	1	=	

Wednesday

1.	1,000	=	10	x	
2.	7	x	7	=	
3.	7	x	70	=	
4.	√49	x	1	=	
5.	√49	x	10	=	
6.	√49	÷	10	=	
7.	√4,900	x	1	=	
8.	√4,900	x	10	=	
9.	√4,900	÷	10	=	
10.	√0.49	x	1	=	

Thursday

1.	3,000	=	10	x	
2.	6	x	6	=	
3.	60	x	60	=	
4.	√36	x	1	=	
5.	√36	x	10	=	
6.	√36	÷	10	=	
7.	√3,600	x	1	=	
8.	√3,600	x	10	=	
9.	√3,600	÷	10	=	
10.	√0.36	x	1	=	

Friday

1.	9,000	=	100	x	
2.	5	x	5	=	
3.	50	x	50	=	
4.	√25	x	1	=	
5.	√25	x	10	=	
6.	√25	÷	10	=	
7.	√2,500	x	1	=	
8.	√2,500	x	10	=	
9.	√2,500	÷	10	=	
10.	√0.25	x	1	=	

Ninja challenge

Tom says that the **difference between** 650,500 and 170,200 is 480,300. Is Tom correct? Explain why.

WEEK 9

Monday

1.	50,563	+		=	95,846
2.		−	74,576	=	28,986
3.	48	÷	6	=	
4.	40	x	6	=	
5.	3^2	+	2^2	=	
6.	$\frac{1}{2}$	x	$\frac{3}{4}$	=	
7.	$\frac{2}{4}$	+	$\frac{1}{4}$	=	
8.	$\frac{4}{5}$	−	$\frac{2}{5}$	=	
9.	232	x	3	=	
10.	322	÷	23	=	

Tuesday

1.	67,512	+		=	106,036
2.		−	46,742	=	51,749
3.	27	÷	3	=	
4.	50	x	7	=	
5.	3^2	+	3^2	=	
6.	$\frac{3}{4}$	x	$\frac{1}{2}$	=	
7.	$\frac{3}{4}$	−	$\frac{1}{4}$	=	
8.	$\frac{3}{5}$	−	$\frac{2}{5}$	=	
9.	156	x	4	=	
10.	475	÷	25	=	

Wednesday

1.	67,781	+		=	115,240
2.		−	76,092	=	25,364
3.	72	÷	6	=	
4.	70	x	7	=	
5.	4^2	+	3^2	=	
6.	$\frac{3}{6}$	x	$\frac{1}{2}$	=	
7.	$\frac{3}{6}$	+	$\frac{1}{6}$	=	
8.	$\frac{3}{6}$	−	$\frac{2}{6}$	=	
9.	341	x	5	=	
10.	806	÷	26	=	

Thursday

1.	68,677	+		=	128,319
2.		−	85,610	=	17,953
3.	42	÷	7	=	
4.	30	x	8	=	
5.	5^2	+	4^2	=	
6.	$\frac{1}{6}$	x	$\frac{2}{3}$	=	
7.	$\frac{2}{6}$	+	$\frac{3}{6}$	=	
8.	$\frac{5}{6}$	−	$\frac{1}{6}$	=	
9.	319	x	6	=	
10.	928	÷	29	=	

Friday

1.	74,112	+		=	122,824
2.		−	17,462	=	88,161
3.	24	÷	3	=	
4.	90	x	9	=	
5.	6^2	+	4^2	=	
6.	$\frac{3}{4}$	x	$\frac{2}{3}$	=	
7.	$\frac{2}{4}$	+	$\frac{1}{4}$	=	
8.	$\frac{4}{5}$	−	$\frac{1}{5}$	=	
9.	452	x	4	=	
10.	961	÷	31	=	

Ninja challenge

Cho multiplies the product of 370 times 2 by 7. What answer does Cho have?

WEEK 10

Monday

1.	264	–	183	=	
2.	274	+	145	=	
3.	27	÷	9	=	
4.	8	x	3	=	
5.	270	÷	9	=	
6.	8	x	30	=	
7.	10%	of	400	=	
8.	20%	of	400	=	
9.	324	÷	6	=	
10.	42	x	5	=	

Tuesday

1.	351	–	187	=	
2.	243	+	178	=	
3.	35	÷	7	=	
4.	9	x	2	=	
5.	350	÷	7	=	
6.	90	x	2	=	
7.	10%	of	200	=	
8.	20%	of	200	=	
9.	216	÷	6	=	
10.	56	x	6	=	

Wednesday

1.	361	–	232	=	
2.	267	+	189	=	
3.	42	÷	7	=	
4.	9	x	4	=	
5.	420	÷	7	=	
6.	90	x	4	=	
7.	10%	of	300	=	
8.	20%	of	300	=	
9.	282	÷	6	=	
10.	62	x	6	=	

Thursday

1.	402	–	274	=	
2.	287	+	204	=	
3.	36	÷	4	=	
4.	8	x	3	=	
5.	360	÷	4	=	
6.	80	x	3	=	
7.	10%	of	600	=	
8.	20%	of	600	=	
9.	432	÷	6	=	
10.	66	x	6	=	

Friday

1.	568	–	283	=	
2.	321	+	242	=	
3.	18	÷	2	=	
4.	11	x	4	=	
5.	180	÷	2	=	
6.	110	x	4	=	
7.	10%	of	800	=	
8.	20%	of	800	=	
9.	504	÷	6	=	
10.	89	x	6	=	

Ninja challenge

Tom starts at the number 1,001. He starts **counting** on in hundreds. He **counts on** 9 lots of 1,000. What number does Tom reach?

Arithmetic Ninja 10–11 © Andrew Jennings, 2022

WEEK 10

Monday

1.	8,000	=	100	x	
2.	4	x	4	=	
3.	40	x	40	=	
4.	√16	x	1	=	
5.	√16	x	10	=	
6.	√16	÷	10	=	
7.	√1,600	x	1	=	
8.	√1,600	x	10	=	
9.	√1,600	÷	10	=	
10.	√0.16	x	1	=	

Tuesday

1.	80,000	=	100	x	
2.	11	x	11	=	
3.	110	x	110	=	
4.	√121	x	1	=	
5.	√121	x	10	=	
6.	√121	÷	10	=	
7.	√12,100	x	1	=	
8.	√12,100	x	10	=	
9.	√12,100	÷	10	=	
10.	√1.21	x	1	=	

Wednesday

1.	1.2	=	12	x	
2.	12	x	12	=	
3.	120	x	120	=	
4.	√144	x	1	=	
5.	√144	x	10	=	
6.	√144	÷	10	=	
7.	√14,400	x	1	=	
8.	√14,400	x	10	=	
9.	√14,400	÷	10	=	
10.	√1.44	x	1	=	

Thursday

1.	1.44	=	1.2	x	
2.	3	x	3	=	
3.	30	x	3	=	
4.	30	x	30	=	
5.	√9	x	10	=	
6.	√9	÷	10	=	
7.	√900	x	1	=	
8.	√900	x	10	=	
9.	√900	÷	10	=	
10.	√0.09	x	1	=	

Friday

1.	1.21	=	1.1	x	
2.	4	x	25	=	
3.	12	x	25	=	
4.	24	x	25	=	
5.	25	x	25	=	
6.	2.5	÷	25	=	
7.	√625	x	1	=	
8.	√625	x	10	=	
9.	√625	÷	10	=	
10.	√6.25	x	1	=	

Ninja challenge

Cho says that 500 **groups** of 40 is **equal** to 20,000. Is Cho correct? Explain why.

WEEK 10

Monday

1.		+	56,412	=	119,979	
2.	109,732	–		=	80,160	
3.	360	÷	6	=		
4.	14	x	10	=		
5.	150	÷	10	=		
6.	$\frac{1}{3}$	x	$\frac{1}{2}$	=		
7.	$\frac{2}{8}$	+	$\frac{1}{8}$	=		
8.	$\frac{3}{5}$	–	$\frac{1}{5}$	=		
9.	123	x	14	=		
10.	11%	of	400	=		

Tuesday

1.		+	61,501	=	135,585	
2.	129,721	–		=	97,991	
3.	1,210	÷	11	=		
4.	14.5	x	10	=		
5.	155	÷	10	=		
6.	$\frac{1}{4}$	x	$\frac{2}{5}$	=		
7.	$\frac{2}{9}$	+	$\frac{1}{9}$	=		
8.	$\frac{7}{8}$	–	$\frac{1}{8}$	=		
9.	214	x	13	=		
10.	11%	of	300	=		

Wednesday

1.		+	59,870	=	145,882	
2.	138,632	–		=	81,909	
3.	1,440	÷	12	=		
4.	13.9	x	10	=		
5.	167	÷	10	=		
6.	$\frac{1}{3}$	x	$\frac{2}{5}$	=		
7.	$\frac{4}{9}$	+	$\frac{3}{9}$	=		
8.	$\frac{6}{8}$	–	$\frac{5}{8}$	=		
9.	501	x	16	=		
10.	11%	of	900	=		

Thursday

1.		+	11,101	=	108,566	
2.	131,909	–		=	67,158	
3.	540	÷	6	=		
4.	24.1	x	10	=		
5.	56	÷	10	=		
6.	$\frac{1}{3}$	x	$\frac{4}{7}$	=		
7.	$\frac{1}{9}$	+	$\frac{7}{9}$	=		
8.	$\frac{3}{8}$	–	$\frac{2}{8}$	=		
9.	412	x	21	=		
10.	11%	of	1,300	=		

Friday

1.		+	24,726	=	114,339	
2.	145,604	–		=	67,823	
3.	400	÷	8	=		
4.	31.6	x	10	=		
5.	79	÷	10	=		
6.	$\frac{1}{2}$	x	$\frac{3}{5}$	=		
7.	$\frac{1}{12}$	+	$\frac{6}{12}$	=		
8.	$\frac{3}{5}$	–	$\frac{1}{5}$	=		
9.	327	x	22	=		
10.	11%	of	1,700	=		

Ninja challenge

Tom has an answer of 450,000. If Tom has 5,000 equal groups, what is each equal group made up of?

Monday

1.	632	–	326	=	
2.	385	+	278	=	
3.	27	÷	3	=	
4.	6	x	4	=	
5.	270	÷	3	=	
6.	60	x	4	=	
7.	10%	of	220	=	
8.	20%	of	220	=	
9.	7	x	10	=	
10.	7	x	100	=	

Tuesday

1.	664	–	283	=	
2.	414	+	298	=	
3.	40	÷	8	=	
4.	7	x	5	=	
5.	400	÷	8	=	
6.	70	x	5	=	
7.	10%	of	330	=	
8.	20%	of	330	=	
9.	9	x	10	=	
10.	9	x	100	=	

Wednesday

1.	687	–	351	=	
2.	473	+	304	=	
3.	42	÷	6	=	
4.	6	x	7	=	
5.	420	÷	6	=	
6.	60	x	7	=	
7.	10%	of	420	=	
8.	20%	of	420	=	
9.	11	x	10	=	
10.	11	x	100	=	

Thursday

1.	691	–	378	=	
2.	472	+	401	=	
3.	48	÷	12	=	
4.	11	x	7	=	
5.	480	÷	12	=	
6.	110	x	7	=	
7.	10%	of	520	=	
8.	20%	of	520	=	
9.	13	x	10	=	
10.	13	x	100	=	

Friday

1.	722	–	456	=	
2.	562	+	341	=	
3.	60	÷	12	=	
4.	6	x	8	=	
5.	600	÷	12	=	
6.	60	x	8	=	
7.	10%	of	640	=	
8.	20%	of	640	=	
9.	21	x	10	=	
10.	21	x	100	=	

Ninja challenge

Cho says that 400 **shared by** 8 is **equal** to 150 **shared by** 3. Is Cho correct? Explain why.

Monday

1.	20	=	2.5	x	
2.	2	x	0.4	=	
3.	2	x	$\frac{4}{10}$	=	
4.	2	x	$\frac{2}{5}$	=	
5.	2	x	40%	=	
6.	40%	of	2	=	
7.	$\sqrt{144}$	+	12	=	
8.	$\sqrt{144}$	x	11	=	
9.	$\sqrt{144}$	÷	100	=	
10.	$\sqrt{144}$	x	0.1	=	

Tuesday

1.	30	=	2.5	x	
2.	8	x	0.6	=	
3.	8	x	$\frac{6}{10}$	=	
4.	8	x	$\frac{3}{5}$	=	
5.	8	x	60%	=	
6.	60%	of	8	=	
7.	$\sqrt{169}$	+	13	=	
8.	$\sqrt{169}$	x	10	=	
9.	$\sqrt{169}$	÷	10	=	
10.	$\sqrt{169}$	x	0.1	=	

Wednesday

1.	40	=	2.5	x	
2.	8	x	0.7	=	
3.	7	x	$\frac{8}{10}$	=	
4.	7	x	$\frac{4}{5}$	=	
5.	8	x	70%	=	
6.	70%	of	8	=	
7.	$\sqrt{225}$	+	15	=	
8.	$\sqrt{225}$	x	10	=	
9.	$\sqrt{225}$	÷	10	=	
10.	$\sqrt{225}$	x	0.1	=	

Thursday

1.	80	=	2.5	x	
2.	125	x	5	=	
3.	1,250	x	5	=	
4.	12.5	x	5	=	
5.	12.5	x	50	=	
6.	25	x	50	=	
7.	25	x	25	=	
8.	$\sqrt{625}$	x	10	=	
9.	$\sqrt{625}$	÷	10	=	
10.	$\sqrt{625}$	x	0.1	=	

Friday

1.	5	=	2.5	+	
2.	140	x	5	=	
3.	1,400	x	5	=	
4.	280	x	5	=	
5.	2.8	x	5	=	
6.	5.6	x	5	=	
7.	56	x	50	=	
8.	$\sqrt{900}$	x	10	=	
9.	$\sqrt{900}$	÷	10	=	
10.	$\sqrt{900}$	x	0.1	=	

Ninja challenge

Sam says that the **difference** between 457,390 and 101,270 is 356,120. Is Sam correct? Explain why.

Monday

1.	78,491	+		=	124,300
2.		–	80,809	=	86,444
3.	9	–	8.17	=	
4.	31.6	x	100	=	
5.	79	÷	100	=	
6.	$\frac{1}{2}$	x	$\frac{3}{7}$	=	
7.	$\frac{1}{3}$	+	$\frac{1}{3}$	=	
8.	$\frac{3}{5}$	–	$\frac{2}{5}$	=	
9.	231	x	32	=	
10.	21%	of	1,700	=	

Tuesday

1.	103,432	+		=	115,895
2.		–	99,734	=	54,214
3.	14	–	9.13	=	
4.	3.5	x	100	=	
5.	19	÷	100	=	
6.	$\frac{1}{3}$	x	$\frac{2}{3}$	=	
7.	$\frac{1}{4}$	+	$\frac{1}{4}$	=	
8.	$\frac{3}{4}$	–	$\frac{2}{4}$	=	
9.	254	x	17	=	
10.	21%	of	2,200	=	

Wednesday

1.	111,241	+		=	134,694
2.		–	67,094	=	97,207
3.	21	–	11.42	=	
4.	12.9	x	100	=	
5.	221	÷	100	=	
6.	$\frac{3}{4}$	x	$\frac{1}{3}$	=	
7.	$\frac{2}{5}$	+	$\frac{2}{5}$	=	
8.	$\frac{4}{7}$	–	$\frac{3}{7}$	=	
9.	196	x	34	=	
10.	21%	of	3,200	=	

Thursday

1.	132,456	+		=	150,048
2.		–	89,572	=	64,640
3.	18	–	9.17	=	
4.	8.9	x	100	=	
5.	432	÷	100	=	
6.	$\frac{3}{5}$	x	$\frac{1}{2}$	=	
7.	$\frac{3}{6}$	+	$\frac{2}{6}$	=	
8.	$\frac{6}{7}$	–	$\frac{5}{7}$	=	
9.	247	x	45	=	
10.	21%	of	4,100	=	

Friday

1.	145,989	+		=	157,734
2.		–	89,001	=	36,559
3.	19	–	12.17	=	
4.	8.5	x	100	=	
5.	167	÷	100	=	
6.	$\frac{4}{5}$	x	$\frac{1}{3}$	=	
7.	$\frac{3}{7}$	+	$\frac{2}{7}$	=	
8.	$\frac{6}{9}$	–	$\frac{5}{9}$	=	
9.	332	x	52	=	
10.	21%	of	4,700	=	

Ninja challenge

The answer to the question is 772. To get to the answer, Cho **multiplied** a number by 9, then **doubled it** and then **took away 2,000**. What number did Cho start with?

WEEK 12

Monday				
1.	754	–	523	=
2.	523	+	432	=
3.	32	÷	8	=
4.	7	x	4	=
5.	320	÷	8	=
6.	70	x	4	=
7.	10%	of	460	=
8.	20%	of	460	=
9.	43	x	10	=
10.	43	x	100	=

Tuesday				
1.	854	–	632	=
2.	572	+	429	=
3.	48	÷	6	=
4.	9	x	4	=
5.	480	÷	6	=
6.	90	x	4	=
7.	10%	of	580	=
8.	20%	of	580	=
9.	67	x	10	=
10.	67	x	100	=

Wednesday				
1.	783	–	543	=
2.	673	+	397	=
3.	54	÷	6	=
4.	9	x	7	=
5.	540	÷	6	=
6.	90	x	7	=
7.	10%	of	640	=
8.	20%	of	640	=
9.	101	x	10	=
10.	101	x	100	=

Thursday				
1.	783	–	634	=
2.	764	+	287	=
3.	48	÷	8	=
4.	3	x	7	=
5.	480	÷	8	=
6.	30	x	7	=
7.	10%	of	770	=
8.	20%	of	770	=
9.	111	x	10	=
10.	111	x	100	=

Friday				
1.	854	–	264	=
2.	838	+	288	=
3.	33	÷	3	=
4.	9	x	4	=
5.	330	÷	3	=
6.	90	x	4	=
7.	10%	of	820	=
8.	20%	of	820	=
9.	117	x	10	=
10.	117	x	100	=

Ninja challenge

Sam creates 4 **groups of** 2,100. He says the total is **equal** to 7 **times** 1,200. Is Sam correct?

Arithmetic Ninja 10–11 © Andrew Jennings, 2022

Monday

1.	10	=	2.5	+	
2.	32	x	10	=	
3.	32	x	5	=	
4.	32	x	50	=	
5.	3.2	x	5	=	
6.	6.4	x	5	=	
7.	64	x	50	=	
8.	√1,600	x	10	=	
9.	√1,600	÷	10	=	
10.	√1,600	x	0.1	=	

Tuesday

1.	10	=	9.5	+	
2.	75	x	10	=	
3.	75	x	5	=	
4.	75	x	50	=	
5.	100	x	5	=	
6.	75	x	5	=	
7.	175	x	5	=	
8.	√2,500	x	10	=	
9.	√2,500	÷	10	=	
10.	√2,500	x	0.1	=	

Wednesday

1.	1	=	0.51	+	
2.	86	x	10	=	
3.	86	x	5	=	
4.	86	x	50	=	
5.	100	x	5	=	
6.	86	x	5	=	
7.	186	x	5	=	
8.	√3,600	x	10	=	
9.	√3,600	÷	10	=	
10.	√3,600	x	0.1	=	

Thursday

1.	1	=	0.54	+	
2.	12	x	12	=	
3.	120	x	12	=	
4.	121	x	12	=	
5.	1,210	x	12	=	
6.	121	x	6	=	
7.	121	x	60	=	
8.	√4,900	x	10	=	
9.	√4,900	÷	10	=	
10.	√4,900	x	0.1	=	

Friday

1.	1	=	0.84	+	
2.	14	x	7	=	
3.	14	x	14	=	
4.	140	x	14	=	
5.	141	x	14	=	
6.	14.1	x	140	=	
7.	1,974	÷	14	=	
8.	√6,400	x	10	=	
9.	√6,400	÷	10	=	
10.	√6,400	x	0.1	=	

Ninja challenge

Cho says that **one quarter** of 488 is **equal to** 122. Is Cho correct? Explain why.

WEEK 12

Monday

1.	4	x		=	160
2.		÷	6	=	60
3.	12	–	2.107	=	
4.	0.3	x	1,000	=	
5.	4	÷	1,000	=	
6.	$\frac{4}{5}$	x	$\frac{1}{3}$	=	
7.	$\frac{1}{2}$	+	$\frac{1}{3}$	=	
8.	$\frac{3}{4}$	–	$\frac{1}{3}$	=	
9.	43	x	52	=	
10.	11%	of	144	=	

Tuesday

1.	6	x		=	180
2.		÷	8	=	30
3.	6	–	4.527	=	
4.	1.9	x	1,000	=	
5.	4.5	÷	100	=	
6.	$\frac{2}{7}$	x	$\frac{2}{5}$	=	
7.	$\frac{2}{3}$	+	$\frac{1}{4}$	=	
8.	$\frac{5}{6}$	–	$\frac{2}{3}$	=	
9.	34	x	28	=	
10.	21%	of	240	=	

Wednesday

1.	7	x		=	350
2.		÷	7	=	70
3.	8	–	3.45	=	
4.	0.5	x	1,000	=	
5.	14.5	÷	100	=	
6.	$\frac{3}{4}$	x	$\frac{3}{4}$	=	
7.	$\frac{1}{5}$	+	$\frac{2}{3}$	=	
8.	$\frac{3}{6}$	–	$\frac{1}{5}$	=	
9.	43	x	35	=	
10.	11%	of	360	=	

Thursday

1.	9	x		=	540
2.		÷	12	=	70
3.	13	–	6.73	=	
4.	0.65	x	1,000	=	
5.	28.6	÷	100	=	
6.	$\frac{2}{5}$	x	$\frac{3}{4}$	=	
7.	$\frac{2}{5}$	+	$\frac{1}{3}$	=	
8.	$\frac{5}{6}$	–	$\frac{1}{2}$	=	
9.	29	x	27	=	
10.	21%	of	460	=	

Friday

1.	6	x		=	480
2.		÷	7	=	80
3.	24	–	12.43	=	
4.	0.06	x	1,000	=	
5.	22.6	÷	100	=	
6.	$\frac{1}{3}$	x	$\frac{1}{11}$	=	
7.	$\frac{2}{5}$	+	$\frac{1}{4}$	=	
8.	$\frac{5}{7}$	–	$\frac{1}{3}$	=	
9.	35	x	41	=	
10.	11%	of	510	=	

Ninja challenge

Tom has 7,000 **groups** of 60. How many does he have in total?

Arithmetic Ninja 10–11 © Andrew Jennings, 2022

Monday

1.	1,945	–	937	=	
2.	756	+	561	=	
3.	35	÷	5	=	
4.	7	x	7	=	
5.	350	÷	5	=	
6.	70	x	7	=	
7.	10%	of	200	=	
8.	5%	of	200	=	
9.	1.6	x	10	=	
10.	1.6	x	100	=	

Tuesday

1.	1,435	–	938	=	
2.	885	+	382	=	
3.	54	÷	9	=	
4.	8	x	8	=	
5.	540	÷	9	=	
6.	80	x	8	=	
7.	10%	of	240	=	
8.	5%	of	240	=	
9.	2.7	x	10	=	
10.	2.7	x	100	=	

Wednesday

1.	1,307	–	549	=	
2.	941	+	432	=	
3.	15	÷	5	=	
4.	5	x	5	=	
5.	150	÷	5	=	
6.	50	x	5	=	
7.	10%	of	260	=	
8.	5%	of	260	=	
9.	3.9	x	10	=	
10.	3.9	x	100	=	

Thursday

1.	1,278	–	423	=	
2.	984	+	562	=	
3.	16	÷	4	=	
4.	8	x	4	=	
5.	160	÷	4	=	
6.	80	x	4	=	
7.	10%	of	340	=	
8.	5%	of	340	=	
9.	5.2	x	10	=	
10.	5.2	x	100	=	

Friday

1.	1,348	–	549	=	
2.	1,032	+	182	=	
3.	21	÷	3	=	
4.	7	x	8	=	
5.	210	÷	3	=	
6.	70	x	8	=	
7.	10%	of	480	=	
8.	5%	of	480	=	
9.	7.8	x	10	=	
10.	7.8	x	100	=	

Ninja challenge

Iko is thinking of a number. She says her number is **equal** to 90 **groups** of 30. What number is Iko thinking of?

WEEK 13

Monday

1.	2	=	0.84	+	
2.	12	x	6	=	
3.	24	x	6	=	
4.	48	x	3	=	
5.	96	x	1.5	=	
6.	96	x	15	=	
7.	144	÷	15	=	
8.	√8,100	x	10	=	
9.	√8,100	÷	10	=	
10.	√8,100	x	0.1	=	

Tuesday

1.	20	=	0.84	+	
2.	20	x	19	=	
3.	19	x	19	=	
4.	19	x	1.9	=	
5.	1.9	x	1.9	=	
6.	38	x	19	=	
7.	361	÷	19	=	
8.	√391	x	10	=	
9.	√391	÷	10	=	
10.	√391	x	0.1	=	

Wednesday

1.	9 x 7	=	0.7	x	
2.	$\frac{1}{4}$	+	$\frac{1}{4}$	=	
3.	$\frac{1}{4}$	+	0.25	=	
4.	0.25	+	0.25	=	
5.	$\frac{1}{2}$	+	$\frac{1}{4}$	=	
6.	0.5	+	$\frac{1}{4}$	=	
7.	$\frac{5}{10}$	+	$\frac{1}{4}$	=	
8.	$\frac{1}{2}$	+	$\frac{2}{8}$	=	
9.	$\frac{1}{9}$	of		=	8
10.	$\frac{1}{9}$	of		=	0.8

Thursday

1.	8 x 7	=	3.5	x	
2.	$\frac{1}{5}$	+	$\frac{3}{5}$	=	
3.	$\frac{1}{5}$	+	$\frac{6}{10}$	=	
4.	0.2	+	$\frac{3}{5}$	=	
5.	$\frac{1}{5}$	+	0.6	=	
6.	$\frac{3}{15}$	+	0.6	=	
7.	$\frac{1}{5}$	+	$\frac{12}{20}$	=	
8.	$\frac{3}{5}$	−	$\frac{1}{5}$	=	
9.	$\frac{1}{12}$	of		=	6
10.	$\frac{1}{12}$	of		=	0.6

Friday

1.	9 x 12	=	4.5	x	
2.	$\frac{1}{8}$	+	$\frac{1}{8}$	=	
3.	$\frac{1}{8}$	+	0.125	=	
4.	$\frac{2}{16}$	+	$\frac{1}{8}$	=	
5.	0.125	+	0.125	=	
6.	$\frac{1}{4}$	+	$\frac{1}{8}$	=	
7.	0.25	+	$\frac{1}{8}$	=	
8.	25%	+	$\frac{1}{8}$	=	
9.	$\frac{1}{12}$	of		=	12
10.	$\frac{1}{12}$	of		=	1.2

Ninja challenge

Iko says that 562 **groups** of 6 is **equal** to 3,732. Is Iko correct? Explain why.

Arithmetic Ninja 10–11 © Andrew Jennings, 2022

WEEK 13

Monday

1.	4	x		=	360
2.		÷	8	=	80
3.	24.5	–	12.9	=	
4.	0.45	x	100	=	
5.	2,453	÷	1,000	=	
6.	$\frac{2}{3}$	x	$\frac{1}{2}$	=	
7.	$\frac{3}{6}$	+	$\frac{1}{4}$	=	
8.	$\frac{6}{7}$	–	$\frac{2}{3}$	=	
9.	135	x	51	=	
10.	12%	of	400	=	

Tuesday

1.	11	x		=	990
2.		÷	12	=	110
3.	41.3	–	19.8	=	
4.	0.78	x	100	=	
5.	417	÷	1,000	=	
6.	$\frac{4}{5}$	x	$\frac{1}{4}$	=	
7.	$\frac{3}{5}$	+	$\frac{1}{2}$	=	
8.	$\frac{4}{5}$	–	$\frac{1}{4}$	=	
9.	187	x	37	=	
10.	22%	of	500	=	

Wednesday

1.	7	x		=	280
2.		÷	12	=	80
3.	34.3	–	21.8	=	
4.	0.56	x	100	=	
5.	506	÷	1,000	=	
6.	$\frac{3}{6}$	x	$\frac{2}{3}$	=	
7.	$\frac{3}{6}$	+	$\frac{1}{3}$	=	
8.	$\frac{2}{3}$	–	$\frac{3}{6}$	=	
9.	63	x	36	=	
10.	12%	of	630	=	

Thursday

1.	8	x		=	560
2.		÷	6	=	120
3.	50.2	–	17.9	=	
4.	1.45	x	100	=	
5.	1,154	÷	1,000	=	
6.	$\frac{1}{2}$	x	$\frac{1}{7}$	=	
7.	$\frac{2}{3}$	+	$\frac{1}{4}$	=	
8.	$\frac{11}{12}$	–	$\frac{4}{6}$	=	
9.	68	x	46	=	
10.	22%	of	780	=	

Friday

1.	6	x		=	360
2.		÷	7	=	60
3.	59.3	–	24.4	=	
4.	3.05	x	100	=	
5.	1,067	÷	1,000	=	
6.	$\frac{3}{4}$	x	$\frac{2}{9}$	=	
7.	$\frac{3}{4}$	+	$\frac{1}{5}$	=	
8.	$\frac{8}{14}$	–	$\frac{3}{7}$	=	
9.	66	x	45	=	
10.	12%	of	890	=	

Ninja challenge

Cho **adds** an unknown **number** to 499,909 and gets an answer of 601,090. What is Cho's unknown number?

WEEK 14

Monday				
1.	1,452	–	909	=
2.	1,121	+	235	=
3.	45	÷	5	=
4.	7	x	6	=
5.	450	÷	5	=
6.	70	x	6	=
7.	10%	of	640	=
8.	5%	of	640	=
9.	15.1	x	10	=
10.	15.1	x	100	=

Tuesday				
1.	1,632	–	1,043	=
2.	984	+	756	=
3.	144	÷	12	=
4.	11	x	12	=
5.	1,440	÷	12	=
6.	110	x	12	=
7.	10%	of	840	=
8.	5%	of	840	=
9.	17.8	x	10	=
10.	17.8	x	100	=

Wednesday				
1.	1,589	–	1,253	=
2.	1,347	+	57	=
3.	108	÷	12	=
4.	8	x	9	=
5.	1,080	÷	12	=
6.	80	x	9	=
7.	10%	of	520	=
8.	5%	of	520	=
9.	24.3	x	10	=
10.	24.3	x	100	=

Thursday				
1.	1,672	–	1,578	=
2.	1,390	+	178	=
3.	121	÷	11	=
4.	12	x	7	=
5.	1,210	÷	11	=
6.	120	x	7	=
7.	10%	of	560	=
8.	5%	of	560	=
9.	33.9	x	10	=
10.	33.9	x	100	=

Friday				
1.	1,792	–	1,087	=
2.	1,090	+	1,078	=
3.	96	÷	12	=
4.	12	x	12	=
5.	960	÷	12	=
6.	120	x	12	=
7.	10%	of	140	=
8.	5%	of	140	=
9.	50.4	x	10	=
10.	50.4	x	100	=

Ninja challenge

Tom **counts** on 19,000 **more than** 27,000. What answer does he get?

Arithmetic Ninja 10–11 © Andrew Jennings, 2022

WEEK 14

Monday

1.	11 x 11	=	5.5	x	
2.	$\frac{1}{8}$	+	$\frac{5}{8}$	=	
3.	$\frac{1}{8}$	+	$\frac{10}{16}$	=	
4.	0.125	+	$\frac{5}{8}$	=	
5.	0.125	+	0.625	=	
6.	$\frac{1}{4}$	+	0.5	=	
7.	0.25	+	$\frac{1}{2}$	=	
8.	25%	+	$\frac{5}{10}$	=	
9.	$\frac{5}{12}$	of		=	60
10.	$\frac{5}{12}$	of		=	6

Tuesday

1.	15 x 15	=	30	x	
2.	$\frac{1}{3}$	+	$\frac{1}{3}$	=	
3.	$\frac{2}{6}$	+	$\frac{1}{3}$	=	
4.	$\frac{9}{12}$	+	$\frac{1}{4}$	=	
5.	0.75	+	$\frac{1}{4}$	=	
6.	$\frac{3}{4}$	+	$\frac{2}{8}$	=	
7.	$\frac{9}{12}$	+	$\frac{1}{2}$	=	
8.	$\frac{3}{4}$	+	0.5	=	
9.	$\frac{9}{12}$	of		=	108
10.	$\frac{9}{12}$	of		=	10.8

Wednesday

1.	600	=	48	x	
2.	$\frac{2}{9}$	+	$\frac{1}{18}$	=	
3.	$\frac{4}{18}$	+	$\frac{1}{18}$	=	
4.	0.75	+	0.75	=	
5.	$\frac{3}{4}$	+	$\frac{3}{4}$	=	
6.	$\frac{9}{12}$	+	$\frac{3}{4}$	=	
7.	$\frac{9}{12}$	+	0.75	=	
8.	75%	+	$\frac{3}{4}$	=	
9.	$\frac{9}{12}$	of		=	108
10.	$\frac{9}{12}$	of		=	216

Thursday

1.	25 x 25	=	50	x	
2.	$\frac{1}{4}$	x	$\frac{1}{2}$	=	
3.	0.25	x	$\frac{1}{2}$	=	
4.	$\frac{1}{4}$	x	0.5	=	
5.	0.25	x	0.5	=	
6.	$\frac{3}{4}$	x	$\frac{1}{4}$	=	
7.	0.75	x	$\frac{1}{4}$	=	
8.	75%	x	$\frac{1}{4}$	=	
9.	$\frac{9}{11}$	of		=	99
10.	$\frac{9}{11}$	of		=	198

Friday

1.	12 x 11	=	132	x	
2.	$\frac{1}{4}$	x	$\frac{1}{8}$	=	
3.	0.25	x	$\frac{1}{8}$	=	
4.	$\frac{1}{4}$	x	0.125	=	
5.	5	÷	$\frac{1}{2}$	=	
6.	5	÷	0.5	=	
7.	50	÷	$\frac{1}{2}$	=	
8.	0.5	÷	$\frac{1}{2}$	=	
9.	$\frac{1}{2}$	÷	$\frac{1}{2}$	=	
10.	$\frac{5}{10}$	÷	$\frac{1}{2}$	=	

Ninja challenge

Iko **shares** 210,000 **equally** into 3 groups. How many will be in each group?

WEEK 14

Monday				
1.	6^2	–	2^2	=
2.	30%	of	450	=
3.	5.7	x	6	=
4.	3.05	x	10	=
5.	1,067	÷	100	=
6.	$\frac{2}{4}$	x	$\frac{1}{7}$	=
7.	$\frac{2}{6}$	+	$\frac{1}{4}$	=
8.	$\frac{9}{10}$	–	$\frac{2}{5}$	=
9.	167	x	34	=
10.	1,242	÷	23	=

Tuesday				
1.	5^2	–	4^2	=
2.	20%	of	430	=
3.	6.9	x	8	=
4.	4.19	x	10	=
5.	1,249	÷	100	=
6.	$\frac{3}{4}$	x	$\frac{3}{6}$	=
7.	$\frac{1}{6}$	+	$\frac{1}{9}$	=
8.	$\frac{9}{10}$	–	$\frac{1}{3}$	=
9.	253	x	47	=
10.	1,554	÷	42	=

Wednesday				
1.	9^2	–	6^2	=
2.	30%	of	590	=
3.	12.4	x	6	=
4.	12.4	x	10	=
5.	909	÷	100	=
6.	$\frac{2}{6}$	x	$\frac{1}{6}$	=
7.	$\frac{2}{6}$	+	$\frac{2}{8}$	=
8.	$\frac{2}{6}$	–	$\frac{2}{8}$	=
9.	198	x	23	=
10.	1,131	÷	29	=

Thursday				
1.	10^2	–	8^2	=
2.	20%	of	410	=
3.	32.7	x	7	=
4.	23.4	x	10	=
5.	99	÷	100	=
6.	$\frac{1}{6}$	x	$\frac{3}{7}$	=
7.	$\frac{1}{5}$	+	$\frac{2}{4}$	=
8.	$\frac{13}{14}$	–	$\frac{1}{2}$	=
9.	204	x	67	=
10.	1,782	÷	54	=

Friday				
1.	11^2	–	5^2	=
2.	30%	of	980	=
3.	54.9	x	9	=
4.	43.6	x	10	=
5.	90.9	÷	100	=
6.	$\frac{5}{6}$	x	$\frac{3}{5}$	=
7.	$\frac{3}{5}$	+	$\frac{1}{7}$	=
8.	$\frac{3}{12}$	–	$\frac{1}{6}$	=
9.	214	x	74	=
10.	3,922	÷	53	=

Ninja challenge

Iko states that 32% of 6,000 is 1,920. Is Iko correct?

WEEK 15

Monday

1.	1,843	–	1,056	=	
2.	1,234	+	1,121	=	
3.	49	÷	7	=	
4.	6	x	6	=	
5.	60	x	6	=	
6.	10%	of	160	=	
7.	20%	of	160	=	
8.	5%	of	160	=	
9.	32	x	10	=	
10.	32	x	100	=	

Tuesday

1.	1,083	–	99	=	
2.	984	+	978	=	
3.	25	÷	5	=	
4.	7	x	7	=	
5.	70	x	7	=	
6.	10%	of	240	=	
7.	20%	of	240	=	
8.	5%	of	240	=	
9.	45	x	10	=	
10.	45	x	100	=	

Wednesday

1.	989	–	99	=	
2.	899	+	988	=	
3.	81	÷	9	=	
4.	8	x	8	=	
5.	80	x	8	=	
6.	10%	of	460	=	
7.	20%	of	460	=	
8.	5%	of	460	=	
9.	56	x	10	=	
10.	56	x	100	=	

Thursday

1.	1,001	–	909	=	
2.	909	+	1,001	=	
3.	121	÷	11	=	
4.	12	x	12	=	
5.	120	x	12	=	
6.	10%	of	560	=	
7.	20%	of	560	=	
8.	5%	of	560	=	
9.	78	x	10	=	
10.	78	x	100	=	

Friday

1.	1,101	–	199	=	
2.	1,909	+	1,001	=	
3.	49	÷	7	=	
4.	4	x	4	=	
5.	40	x	4	=	
6.	10%	of	640	=	
7.	20%	of	640	=	
8.	5%	of	640	=	
9.	98	x	10	=	
10.	98	x	100	=	

Ninja challenge

Cho states that 15% of 480 is 84. Is Cho correct?

WEEK 15

Monday

1.	0.8	=	$\frac{4}{5}$	x	
2.	$\frac{1}{2}$	x	$\frac{1}{4}$	=	
3.	0.5	x	0.25	=	
4.	$\frac{1}{2}$	x	$\frac{1}{2}$	=	
5.	10	÷	$\frac{1}{2}$	=	
6.	10	÷	0.5	=	
7.	100	÷	$\frac{1}{2}$	=	
8.	9	÷	$\frac{1}{2}$	=	
9.	9	÷	$\frac{1}{4}$	=	
10.	9	÷	$\frac{1}{8}$	=	

Tuesday

1.	0.6	=	$\frac{3}{5}$	x	
2.	2	x	$\frac{1}{4}$	=	
3.	2	x	0.25	=	
4.	2	x	25%	=	
5.	80	÷	$\frac{1}{2}$	=	
6.	80	÷	0.5	=	
7.	8	÷	$\frac{1}{2}$	=	
8.	12	÷	$\frac{1}{2}$	=	
9.	12	÷	$\frac{1}{4}$	=	
10.	12	÷	0.25	=	

Wednesday

1.	0.4	=	$\frac{2}{5}$	x	
2.	9	x	0.2	=	
3.	9	x	$\frac{2}{10}$	=	
4.	9	x	$\frac{1}{5}$	=	
5.	$\frac{1}{10}$	÷	$\frac{1}{2}$	=	
6.	0.1	÷	0.5	=	
7.	$\frac{4}{10}$	÷	$\frac{1}{2}$	=	
8.	0.4	÷	0.5	=	
9.	0.4	÷	$\frac{1}{4}$	=	
10.	4	÷	$\frac{1}{4}$	=	

Thursday

1.	$\frac{3}{4}$	=	$\frac{1}{2}$	+	
2.	12	x	7	=	
3.	12	x	0.7	=	
4.	12	x	$\frac{7}{10}$	=	
5.	$\frac{4}{10}$	÷	$\frac{1}{2}$	=	
6.	0.4	÷	0.5	=	
7.	$\frac{2}{5}$	÷	$\frac{1}{2}$	=	
8.	6	÷	$\frac{1}{2}$	=	
9.	6	÷	$\frac{1}{4}$	=	
10.	60	÷	$\frac{1}{4}$	=	

Friday

1.	$\frac{4}{5}$	=	$\frac{2}{10}$	+	
2.	12	x	6	=	
3.	12	x	0.6	=	
4.	12	x	$\frac{6}{10}$	=	
5.	12	x	$\frac{3}{5}$	=	
6.	1.5	÷	0.5	=	
7.	$1\frac{1}{2}$	÷	$\frac{1}{2}$	=	
8.	$1\frac{1}{2}$	÷	$\frac{1}{4}$	=	
9.	$1\frac{1}{2}$	÷	0.25	=	
10.	1.5	÷	$\frac{1}{4}$	=	

Ninja challenge

Sam tells Tom that that 240 is equal to $\frac{3}{8}$ of 640. Is Sam correct? Explain why.

Arithmetic Ninja 10–11 © Andrew Jennings, 2022

WEEK 15

Monday

1.	6^2	–	3^2	=	
2.	30%	of	1,120	=	
3.	65.4	x	5	=	
4.	0.06	x	10	=	
5.	0.5	÷	10	=	
6.	$\frac{4}{6}$	x	$\frac{3}{4}$	=	
7.	$\frac{1}{5}$	+	$\frac{3}{4}$	=	
8.	$\frac{5}{8}$	–	$\frac{3}{6}$	=	
9.	348	x	62	=	
10.	2,684	÷	44	=	

Tuesday

1.	7^2	–	3^2	=	
2.	30%	of	1,430	=	
3.	45.35	x	5	=	
4.	0.57	x	10	=	
5.	0.54	÷	10	=	
6.	$\frac{1}{6}$	x	$\frac{1}{4}$	=	
7.	$\frac{1}{5}$	+	$\frac{1}{4}$	=	
8.	$\frac{4}{8}$	–	$\frac{1}{2}$	=	
9.	423	x	39	=	
10.	2,436	÷	58	=	

Wednesday

1.	5^2	–	2^2	=	
2.	30%	of	1,560	=	
3.	65.39	x	4	=	
4.	0.86	x	10	=	
5.	0.13	÷	10	=	
6.	$\frac{1}{3}$	x	$\frac{1}{5}$	=	
7.	$\frac{2}{3}$	+	$\frac{1}{9}$	=	
8.	$\frac{6}{8}$	–	$\frac{1}{4}$	=	
9.	542	x	56	=	
10.	2,886	÷	39	=	

Thursday

1.	12^2	–	10^2	=	
2.	40%	of	850	=	
3.	78.56	x	4	=	
4.	1.54	x	10	=	
5.	1.13	÷	10	=	
6.	$\frac{2}{5}$	x	$\frac{1}{5}$	=	
7.	$\frac{3}{10}$	+	$\frac{1}{9}$	=	
8.	$\frac{2}{3}$	–	$\frac{1}{12}$	=	
9.	523	x	19	=	
10.	3,735	÷	45	=	

Friday

1.	9^2	–	7^2	=	
2.	30%	of	1,370	=	
3.	98.05	x	4	=	
4.	2.37	x	10	=	
5.	3.61	÷	10	=	
6.	$\frac{4}{5}$	x	$\frac{2}{5}$	=	
7.	$\frac{2}{10}$	+	$\frac{2}{5}$	=	
8.	$\frac{5}{9}$	–	$\frac{1}{3}$	=	
9.	626	x	45	=	
10.	3,026	÷	89	=	

Ninja challenge

Tom **adds** 680,340 to 40,770. Tom then **subtracts** 299,999. What total does Tom get?

WEEK 16

Monday

1.	1,235	–	299	=	
2.	1,083	+	909	=	
3.	36	÷	6	=	
4.	5	x	5	=	
5.	50	x	5	=	
6.	10%	of	400	=	
7.	20%	of	400	=	
8.	30%	of	400	=	
9.	67	x	1	=	
10.	67	x	10	=	

Tuesday

1.	1,354	–	409	=	
2.	1,090	+	990	=	
3.	81	÷	9	=	
4.	7	x	7	=	
5.	70	x	7	=	
6.	10%	of	500	=	
7.	20%	of	500	=	
8.	30%	of	500	=	
9.	101	x	1	=	
10.	101	x	10	=	

Wednesday

1.	1,562	–	511	=	
2.	1,146	+	1,001	=	
3.	64	÷	8	=	
4.	4	x	4	=	
5.	40	x	4	=	
6.	10%	of	300	=	
7.	20%	of	300	=	
8.	30%	of	300	=	
9.	71	x	1	=	
10.	71	x	10	=	

Thursday

1.	1,601	–	609	=	
2.	1,549	+	1,212	=	
3.	24	÷	8	=	
4.	5	x	8	=	
5.	50	x	8	=	
6.	10%	of	200	=	
7.	20%	of	200	=	
8.	30%	of	200	=	
9.	56	x	1	=	
10.	56	x	10	=	

Friday

1.	1,743	–	989	=	
2.	1,481	+	1,361	=	
3.	32	÷	4	=	
4.	6	x	7	=	
5.	60	x	7	=	
6.	10%	of	900	=	
7.	20%	of	900	=	
8.	30%	of	900	=	
9.	252	x	1	=	
10.	252	x	10	=	

Ninja challenge

Iko finds 8,400 books in the library that are blue. Cho looks for green books and finds a **quarter** of the amount of books that Iko found. How many green books does Cho find?

Monday

1.	0.5	=	$\frac{3}{12}$	+	
2.	10%	of	80	=	
3.	5%	of	80	=	
4.	15%	of	80	=	
5.	30%	of	80	=	
6.	45%	of	80	=	
7.	45%	of	800	=	
8.	4.5%	of	800	=	
9.	$\frac{45}{100}$	of	80	=	
10.	80	x	$\frac{45}{100}$	=	

Tuesday

1.	0.5	=	$\frac{2}{8}$	+	
2.	10%	of	60	=	
3.	5%	of	60	=	
4.	15%	of	60	=	
5.	30%	of	60	=	
6.	45%	of	60	=	
7.	45%	of	600	=	
8.	4.5%	of	600	=	
9.	$\frac{45}{100}$	of	60	=	
10.	60	x	$\frac{45}{100}$	=	

Wednesday

1.	0.5	=	$\frac{9}{20}$	+	
2.	10%	of	90	=	
3.	5%	of	90	=	
4.	15%	of	90	=	
5.	30%	of	90	=	
6.	45%	of	90	=	
7.	45%	of	900	=	
8.	4.5%	of	900	=	
9.	$\frac{3}{10}$	of	60	=	
10.	0.3	x	60	=	

Thursday

1.	$\frac{1}{2}$ of 200	=	200	x	
2.	10%	of	70	=	
3.	5%	of	70	=	
4.	15%	of	70	=	
5.	30%	of	70	=	
6.	45%	of	70	=	
7.	45%	of	700	=	
8.	4.5%	of	700	=	
9.	$\frac{4}{10}$	of	80	=	
10.	0.4	x	80	=	

Friday

1.	$\frac{1}{2}$ of 60	=	60	x	
2.	10%	of	120	=	
3.	5%	of	120	=	
4.	15%	of	120	=	
5.	40%	of	120	=	
6.	55%	of	120	=	
7.	5.5%	of	120	=	
8.	11%	of	120	=	
9.	110%	of	120	=	
10.	11%	of	1,200	=	

Ninja challenge

Cho finds the **difference** between 620,380 and 170,384. What answer does Cho get?

WEEK 16

Monday

1.	8^2	–	4^2	=	
2.	39,995	=	13,503	+	
3.	9,451	=	23,412	–	
4.	5.24	x	10	=	
5.	5.12	÷	10	=	
6.	$\frac{3}{4}$	x	$\frac{1}{6}$	=	
7.	$\frac{1}{4}$	+	$\frac{2}{5}$	=	
8.	$\frac{4}{5}$	–	$\frac{1}{3}$	=	
9.	382	x	19	=	
10.	3,819	÷	67	=	

Tuesday

1.	6^2	–	5^2	=	
2.	23,476	=	14,566	+	
3.	8,603	=	14,859	–	
4.	3.14	x	10	=	
5.	6.21	x	10	=	
6.	$\frac{1}{3}$	x	$\frac{2}{5}$	=	
7.	$\frac{1}{3}$	+	$\frac{3}{4}$	=	
8.	$\frac{5}{6}$	–	$\frac{1}{3}$	=	
9.	213	x	13	=	
10.	7,384	÷	52	=	

Wednesday

1.	7^2	–	2^2	=	
2.	22,273	=	12,315	+	
3.	6,950	=	15,621	–	
4.	7.21	x	10	=	
5.	7.21	÷	10	=	
6.	$\frac{1}{4}$	x	$\frac{1}{3}$	=	
7.	$\frac{2}{4}$	+	$\frac{2}{3}$	=	
8.	$\frac{3}{5}$	–	$\frac{1}{2}$	=	
9.	435	x	45	=	
10.	3,456	÷	64	=	

Thursday

1.	5^2	–	4^2	=	
2.	11,963	=	7,005	+	
3.	2,123	=	6,832	–	
4.	17.32	x	10	=	
5.	17.32	÷	10	=	
6.	$\frac{1}{5}$	x	$\frac{2}{3}$	=	
7.	$\frac{5}{6}$	+	$\frac{1}{2}$	=	
8.	$\frac{4}{6}$	–	$\frac{2}{3}$	=	
9.	297	x	34	=	
10.	2,664	÷	74	=	

Friday

1.	9^2	–	5^2	=	
2.	23,296	=	12,562	+	
3.	10,960	=	21,312	–	
4.	32.45	x	10	=	
5.	32.45	÷	10	=	
6.	$\frac{2}{4}$	x	$\frac{3}{5}$	=	
7.	$\frac{3}{9}$	+	$\frac{2}{3}$	=	
8.	$\frac{6}{7}$	–	$\frac{1}{14}$	=	
9.	143	x	47	=	
10.	1,700	÷	68	=	

Ninja challenge

Cho starts with the number 201,100. She finishes with 199,909. How much did Cho **subtract** to get to 199,909?

Monday

1.	6.4	–	1.2	=	
2.	2.4	+	1.6	=	
3.	27	÷	3	=	
4.	15	÷	3	=	
5.	150	÷	3	=	
6.	10%	of	320	=	
7.	20%	of	320	=	
8.	30%	of	320	=	
9.	400	x	10	=	
10.	400	÷	10	=	

Tuesday

1.	7.4	–	4.8	=	
2.	4.4	+	1.9	=	
3.	18	÷	3	=	
4.	36	÷	6	=	
5.	360	÷	6	=	
6.	10%	of	410	=	
7.	20%	of	410	=	
8.	30%	of	410	=	
9.	300	x	10	=	
10.	300	÷	10	=	

Wednesday

1.	8.8	–	3.8	=	
2.	9.1	+	3.9	=	
3.	32	÷	4	=	
4.	18	÷	2	=	
5.	180	÷	2	=	
6.	10%	of	270	=	
7.	20%	of	270	=	
8.	30%	of	270	=	
9.	100	x	10	=	
10.	100	÷	10	=	

Thursday

1.	9.5	–	6.6	=	
2.	9.1	+	5.9	=	
3.	16	÷	4	=	
4.	42	÷	6	=	
5.	420	÷	6	=	
6.	10%	of	180	=	
7.	20%	of	180	=	
8.	30%	of	180	=	
9.	150	x	10	=	
10.	150	÷	10	=	

Friday

1.	11.2	–	5.7	=	
2.	9.8	+	8.9	=	
3.	72	÷	9	=	
4.	81	÷	9	=	
5.	810	÷	9	=	
6.	10%	of	150	=	
7.	20%	of	150	=	
8.	30%	of	150	=	
9.	320	x	10	=	
10.	320	÷	10	=	

Ninja challenge

Sam says that if he **adds** 10,000, 30,000, 20,000 and 30,000 that he will have a number **larger than** 100,000. Is Sam correct?

WEEK 17

	Monday			
1.	$\frac{1}{4}$ of 60	=	60	x
2.	$\frac{1}{9}$	of	108	=
3.	$\frac{2}{9}$	of	108	=
4.	$\frac{2}{9}$	of	1,080	=
5.	$\frac{2}{9}$	of	10.8	=
6.	$\frac{2}{9}$	of	216	=
7.	$\frac{2}{4}$	÷	$\frac{1}{4}$	=
8.	$\frac{1}{2}$	÷	$\frac{1}{4}$	=
9.	0.5	÷	$\frac{1}{4}$	=
10.	2	÷	$\frac{1}{4}$	=

	Tuesday			
1.	8	x	25	=
2.	8	x	12.5	=
3.	8	x	125	=
4.	8	x	1.25	=
5.	8	x	0.125	=
6.	8	x	$\frac{1}{8}$	=
7.	$\frac{3}{4}$	÷	3	=
8.	0.75	÷	3	=
9.	$\frac{3}{4}$	÷	6	=
10.	0.75	÷	6	=

	Wednesday			
1.	24	x	25	=
2.	24	x	12.5	=
3.	24	x	125	=
4.	48	x	125	=
5.	48	x	12.5	=
6.	300	÷	12.5	=
7.	$\frac{4}{5}$	÷	2	=
8.	0.8	÷	2	=
9.	$\frac{3}{5}$	÷	2	=
10.	0.6	÷	2	=

	Thursday			
1.	36	x	25	=
2.	36	x	12.5	=
3.	36	x	125	=
4.	360	x	125	=
5.	72	x	12.5	=
6.	45,000	÷	125	=
7.	$\frac{6}{8}$	÷	3	=
8.	$\frac{12}{16}$	÷	3	=
9.	0.75	÷	0.3	=
10.	$\frac{3}{4}$	÷	$\frac{3}{10}$	=

	Friday			
1.	24	x	25	=
2.	25	x	25	=
3.	25	x	2.5	=
4.	2.5	x	2.5	=
5.	$2\frac{1}{2}$	x	$2\frac{1}{2}$	=
6.	$1\frac{1}{4}$	x	$2\frac{1}{2}$	=
7.	$\frac{9}{12}$	÷	3	=
8.	$\frac{3}{4}$	÷	3	=
9.	1.5	÷	3	=
10.	$1\frac{1}{2}$	÷	3	=

Ninja challenge

Iko says that 54,003 is 17,650 **more than** 36,803. Is Iko correct? Explain why.

Monday

1.	11%	of	340	=	
2.	2,844	=	9	x	
3.	9,000	=	27,000	÷	
4.	11	−	3.06	=	
5.	$1\frac{2}{6}$	+	$\frac{5}{6}$	=	
6.	$\frac{2}{3}$	x	$\frac{3}{5}$	=	
7.	$\frac{2}{3}$	+	$\frac{2}{3}$	=	
8.	$\frac{3}{4}$	−	$\frac{1}{2}$	=	
9.	96	x	54	=	
10.	2,088	÷	87	=	

Tuesday

1.	11%	of	490	=	
2.	1,687	=	7	x	
3.	6,000	=	18,000	÷	
4.	21	−	13.65	=	
5.	$1\frac{5}{7}$	+	$\frac{6}{7}$	=	
6.	$\frac{3}{4}$	x	$\frac{1}{5}$	=	
7.	$\frac{4}{5}$	+	$\frac{2}{6}$	=	
8.	$\frac{4}{5}$	−	$\frac{3}{6}$	=	
9.	92	x	49	=	
10.	4,094	÷	89	=	

Wednesday

1.	11%	of	560	=	
2.	2,832	=	8	x	
3.	8,000	=	64,000	÷	
4.	25	−	16.74	=	
5.	$1\frac{5}{8}$	+	$\frac{7}{8}$	=	
6.	$\frac{3}{5}$	x	$\frac{1}{3}$	=	
7.	$\frac{4}{6}$	+	$\frac{2}{7}$	=	
8.	$\frac{5}{6}$	−	$\frac{3}{4}$	=	
9.	87	x	53	=	
10.	2,808	÷	78	=	

Thursday

1.	11%	of	230	=	
2.	2,816	=	8	x	
3.	7,000	=	35,000	÷	
4.	9	−	1.76	=	
5.	$1\frac{2}{4}$	+	$\frac{3}{4}$	=	
6.	$\frac{4}{9}$	x	$\frac{3}{5}$	=	
7.	$\frac{2}{7}$	+	$\frac{2}{3}$	=	
8.	$\frac{3}{6}$	−	$\frac{1}{9}$	=	
9.	87	x	34	=	
10.	2,244	÷	66	=	

Friday

1.	11%	of	610	=	
2.	1,782	=	9	x	
3.	4,000	=	32,000	÷	
4.	27	−	19.89	=	
5.	$1\frac{3}{4}$	+	$\frac{3}{4}$	=	
6.	$\frac{4}{5}$	x	$\frac{2}{3}$	=	
7.	$\frac{1}{6}$	+	$\frac{2}{3}$	=	
8.	$\frac{5}{6}$	−	$\frac{1}{2}$	=	
9.	46	x	72	=	
10.	2,925	÷	45	=	

Ninja challenge

Iko says that the **total** of 506,584 and 101,284 is 607,686. Is Iko correct? Explain why.

WEEK 18

Monday

1.	25.2	–	5.7	=	
2.	19.8	+	8.9	=	
3.	2^2	+	2^2	=	
4.	24	÷	3	=	
5.	240	÷	3	=	
6.	10%	of	200	=	
7.	5%	of	200	=	
8.	15%	of	200	=	
9.	470	x	10	=	
10.	470	÷	10	=	

Tuesday

1.	23.1	–	7.4	=	
2.	20.8	+	3.9	=	
3.	2^2	+	3^2	=	
4.	45	÷	5	=	
5.	450	÷	5	=	
6.	10%	of	160	=	
7.	5%	of	160	=	
8.	15%	of	160	=	
9.	580	x	10	=	
10.	580	÷	10	=	

Wednesday

1.	27.3	–	2.9	=	
2.	24.2	+	5.9	=	
3.	3^2	+	3^2	=	
4.	36	÷	3	=	
5.	360	÷	3	=	
6.	10%	of	140	=	
7.	5%	of	140	=	
8.	15%	of	140	=	
9.	640	x	10	=	
10.	640	÷	10	=	

Thursday

1.	29.8	–	4.9	=	
2.	27.3	+	3.8	=	
3.	2^2	+	3^2	=	
4.	48	÷	6	=	
5.	480	÷	6	=	
6.	10%	of	80	=	
7.	5%	of	80	=	
8.	15%	of	80	=	
9.	780	x	10	=	
10.	780	÷	10	=	

Friday

1.	31.8	–	9.5	=	
2.	13.3	+	10.8	=	
3.	5^2	+	2^2	=	
4.	132	÷	12	=	
5.	1,320	÷	12	=	
6.	10%	of	420	=	
7.	5%	of	420	=	
8.	15%	of	420	=	
9.	980	x	10	=	
10.	980	÷	10	=	

Ninja challenge

Iko **counts on** 650 from 1,948. What number does Iko count on to?

Arithmetic Ninja 10–11 © Andrew Jennings, 2022

WEEK 18

Monday

1.	$1\frac{1}{2}$	+	$\frac{3}{4}$	=	
2.	1.5	+	$\frac{3}{4}$	=	
3.	1.5	+	0.75	=	
4.	$2\frac{2}{5}$	+	$\frac{3}{5}$	=	
5.	2.4	+	0.6	=	
6.	9	x	1	=	
7.	9	x	0.1	=	
8.	9	x	$\frac{1}{10}$	=	
9.	9	÷	1	=	
10.	9	÷	0.1	=	

Tuesday

1.	$1\frac{1}{2}$	−	$\frac{1}{4}$	=	
2.	1.5	−	$\frac{1}{4}$	=	
3.	1.5	+	0.25	=	
4.	$\frac{6}{8}$	+	$\frac{3}{16}$	=	
5.	$\frac{1}{2}$	+	$\frac{6}{12}$	=	
6.	12	x	0.1	=	
7.	12	x	0.2	=	
8.	12	x	$\frac{2}{10}$	=	
9.	12	÷	0.1	=	
10.	12	÷	$\frac{1}{10}$	=	

Wednesday

1.	2.5	−	$1\frac{1}{4}$	=	
2.	$2\frac{1}{2}$	−	$1\frac{1}{4}$	=	
3.	3.5	+	0.75	=	
4.	3.5	+	$\frac{3}{4}$	=	
5.	$\frac{1}{2}$	+	$\frac{9}{18}$	=	
6.	18	x	0.1	=	
7.	18	x	0.2	=	
8.	18	x	$\frac{2}{10}$	=	
9.	18	÷	0.1	=	
10.	18	÷	$\frac{1}{10}$	=	

Thursday

1.	$\frac{1}{2}$	−	$\frac{1}{6}$	=	
2.	0.5	−	$\frac{1}{6}$	=	
3.	$\frac{4}{8}$	−	$\frac{1}{6}$	=	
4.	3.5	+	1.75	=	
5.	$\frac{1}{2}$	+	$\frac{24}{48}$	=	
6.	450	x	0.1	=	
7.	450	x	0.2	=	
8.	450	x	$\frac{2}{10}$	=	
9.	45	÷	0.1	=	
10.	45	÷	$\frac{1}{10}$	=	

Friday

1.	$\frac{3}{4}$	−	$\frac{6}{8}$	=	
2.	$\frac{3}{4}$	−	$\frac{9}{12}$	=	
3.	$\frac{3}{4}$	−	$\frac{27}{36}$	=	
4.	12.5	+	1.75	=	
5.	$\frac{1}{4}$	+	$\frac{1}{4}$	=	
6.	4.5	x	0.1	=	
7.	4.5	x	0.2	=	
8.	4.5	x	$\frac{4}{10}$	=	
9.	144	÷	0.12	=	
10.	144	÷	$\frac{12}{100}$	=	

Ninja challenge

Iko states that 40% of 940 is 367. Is Iko correct?

WEEK 18

Monday

1.	12%	of	610	=	
2.	1,224	=	6	x	
3.	54,836	+	32,617	=	
4.	27.6	–	16.04	=	
5.	$1\frac{3}{4}$	+	$1\frac{2}{4}$	=	
6.	$\frac{6}{7}$	x	$\frac{2}{3}$	=	
7.	$\frac{1}{6}$	x	5	=	
8.	$\frac{1}{6}$	÷	5	=	
9.	35	x	76	=	
10.	1,040	÷	16	=	

Tuesday

1.	12%	of	740	=	
2.	2,070	=	6	x	
3.	67,481	+	43,261	=	
4.	39.1	–	17.89	=	
5.	$1\frac{6}{7}$	+	$1\frac{5}{7}$	=	
6.	$\frac{3}{5}$	x	$\frac{3}{4}$	=	
7.	$\frac{3}{7}$	x	2	=	
8.	$\frac{5}{6}$	÷	7	=	
9.	32	x	54	=	
10.	1,566	÷	29	=	

Wednesday

1.	12%	of	830	=	
2.	3,776	=	8	x	
3.	75,712	+	14,283	=	
4.	45.2	–	24.38	=	
5.	$1\frac{4}{8}$	+	$1\frac{7}{8}$	=	
6.	$\frac{3}{4}$	x	$\frac{5}{6}$	=	
7.	$\frac{2}{10}$	x	4	=	
8.	$\frac{3}{7}$	÷	7	=	
9.	23	x	54	=	
10.	2,346	÷	34	=	

Thursday

1.	12%	of	990	=	
2.	4,806	=	9	x	
3.	67,401	+	34,902	=	
4.	56.9	–	39.38	=	
5.	$2\frac{3}{4}$	+	$1\frac{2}{4}$	=	
6.	$\frac{3}{12}$	x	$\frac{1}{2}$	=	
7.	$\frac{4}{15}$	x	3	=	
8.	$\frac{5}{8}$	÷	3	=	
9.	17	x	27	=	
10.	684	÷	19	=	

Friday

1.	12%	of	780	=	
2.	5,192	=	8	x	
3.	76,857	+	45,908	=	
4.	67.9	–	54.87	=	
5.	$3\frac{4}{5}$	+	$1\frac{2}{5}$	=	
6.	$\frac{5}{7}$	x	$\frac{1}{3}$	=	
7.	$\frac{2}{12}$	x	5	=	
8.	$\frac{7}{9}$	÷	3	=	
9.	26	x	56	=	
10.	1,872	÷	39	=	

Ninja challenge

Sam has 30,000 **groups** of 4. How many does Sam have in total?

Arithmetic Ninja 10–11 © Andrew Jennings, 2022

Monday

1.	3	–	1.5	=	
2.	4	+	1.8	=	
3.	3^2	–	2^2	=	
4.	121	÷	11	=	
5.	1,210	÷	11	=	
6.	10%	of	620	=	
7.	5%	of	620	=	
8.	15%	of	620	=	
9.	32	x	5	=	
10.	162	÷	3	=	

Tuesday

1.	4	–	1.7	=	
2.	5	+	2.8	=	
3.	4^2	–	2^2	=	
4.	108	÷	9	=	
5.	1,080	÷	9	=	
6.	10%	of	480	=	
7.	5%	of	480	=	
8.	15%	of	480	=	
9.	36	x	4	=	
10.	136	÷	4	=	

Wednesday

1.	6	–	2.5	=	
2.	6	+	3.8	=	
3.	5^2	–	3^2	=	
4.	96	÷	8	=	
5.	960	÷	8	=	
6.	10%	of	340	=	
7.	5%	of	340	=	
8.	15%	of	340	=	
9.	42	x	6	=	
10.	235	÷	5	=	

Thursday

1.	8	–	4.2	=	
2.	9	+	5.4	=	
3.	4^2	–	3^2	=	
4.	84	÷	7	=	
5.	840	÷	7	=	
6.	10%	of	840	=	
7.	5%	of	840	=	
8.	15%	of	840	=	
9.	37	x	5	=	
10.	219	÷	3	=	

Friday

1.	12	–	6.2	=	
2.	11	+	7.4	=	
3.	4^2	–	1^2	=	
4.	54	÷	9	=	
5.	540	÷	9	=	
6.	10%	of	440	=	
7.	5%	of	440	=	
8.	15%	of	440	=	
9.	56	x	4	=	
10.	232	÷	4	=	

Ninja challenge

Cho **counts back** 1,574 from 5,471.
What number does Cho count back to?

WEEK 19

Monday

1.	$\frac{4}{5}$	–	0.8	=
2.	$\frac{3}{5}$	–	0.6	=
3.	$1\frac{1}{4}$	–	$\frac{5}{4}$	=
4.	12.51	+	1.2	=
5.	$\frac{2}{8}$	+	$\frac{1}{4}$	=
6.	$\frac{1}{8}$	x	10	=
7.	$\frac{2}{8}$	x	10	=
8.	$\frac{3}{8}$	x	10	=
9.	$\frac{3}{8}$	x	100	=
10.	$\frac{1}{8}$	x	100	=

Tuesday

1.	$\frac{4}{5}$	x	10	=
2.	$\frac{3}{5}$	x	10	=
3.	$\frac{2}{5}$	x	10	=
4.	$\frac{3}{4}$	x	10	=
5.	$\frac{6}{8}$	x	10	=
6.	125	x	4	=
7.	125	x	40	=
8.	1.25	x	4	=
9.	$\frac{1}{8}$	x	4	=
10.	$\frac{1}{8}$	x	40	=

Wednesday

1.	20%	of	70	=
2.	2%	of	70	=
3.	22%	of	70	=
4.	22%	of	140	=
5.	22%	of	1,400	=
6.	$\frac{1}{7}$	of	49	=
7.	$\frac{2}{7}$	of	49	=
8.	$\frac{2}{7}$	of	4.9	=
9.	$\frac{2}{7}$	of	9.8	=
10.	$\frac{2}{7}$	of	98	=

Thursday

1.	90%	of	90	=
2.	1%	of	90	=
3.	91%	of	90	=
4.	91%	of	900	=
5.	9.1%	of	900	=
6.	$\frac{1}{8}$	of	64	=
7.	$\frac{2}{8}$	of	64	=
8.	$\frac{2}{8}$	of	6.4	=
9.	$\frac{2}{8}$	of	12.8	=
10.	$\frac{2}{8}$	of	128	=

Friday

1.	60%	of	60	=
2.	5%	of	60	=
3.	65%	of	60	=
4.	65%	of	600	=
5.	65%	of	6	=
6.	$\frac{1}{9}$	of	81	=
7.	$\frac{2}{9}$	of	81	=
8.	$\frac{2}{9}$	of	8.1	=
9.	$\frac{2}{9}$	of	16.2	=
10.	$\frac{2}{9}$	of	162	=

Ninja challenge

Tom **shares** 480,000 **equally** into 12 groups. How many will be in each group?

Arithmetic Ninja 10–11 © Andrew Jennings, 2022

Monday

1.	13%	of	360	=	
2.	1,086	=	3	x	
3.	76,857	–	45,908	=	
4.	17.9	+	13.87	=	
5.	$3\frac{4}{5}$	–	$\frac{2}{5}$	=	
6.	$\frac{5}{6}$	x	$\frac{2}{3}$	=	
7.	$\frac{3}{12}$	x	2	=	
8.	$\frac{1}{9}$	÷	3	=	
9.	2.45	x	5	=	
10.	32.34	x	10	=	

Tuesday

1.	13%	of	410	=	
2.	1,592	=	4	x	
3.	51,734	–	30,948	=	
4.	20.6	+	16.74	=	
5.	$2\frac{1}{5}$	–	$\frac{4}{5}$	=	
6.	$\frac{1}{6}$	x	$\frac{1}{3}$	=	
7.	$\frac{1}{9}$	x	6	=	
8.	$\frac{1}{9}$	÷	6	=	
9.	5.73	x	6	=	
10.	43.71	x	10	=	

Wednesday

1.	13%	of	560	=	
2.	3,384	=	6	x	
3.	67,872	–	59,876	=	
4.	34.9	+	23.87	=	
5.	$1\frac{2}{5}$	–	$\frac{4}{5}$	=	
6.	$\frac{1}{3}$	x	$\frac{1}{4}$	=	
7.	$\frac{1}{15}$	x	3	=	
8.	$\frac{5}{9}$	÷	2	=	
9.	6.98	x	8	=	
10.	123.65	x	10	=	

Thursday

1.	13%	of	670	=	
2.	4,614	=	6	x	
3.	89,876	–	67,979	=	
4.	45.7	+	38.78	=	
5.	$2\frac{2}{6}$	–	$1\frac{4}{6}$	=	
6.	$\frac{2}{4}$	x	$\frac{1}{4}$	=	
7.	$\frac{1}{13}$	x	9	=	
8.	$\frac{7}{20}$	÷	2	=	
9.	11.56	x	9	=	
10.	78.98	x	10	=	

Friday

1.	13%	of	920	=	
2.	5,148	=	9	x	
3.	89,909	–	87,989	=	
4.	56.1	+	49.97	=	
5.	$4\frac{1}{3}$	–	$2\frac{2}{3}$	=	
6.	$\frac{2}{5}$	x	$\frac{3}{4}$	=	
7.	$\frac{2}{9}$	x	3	=	
8.	$\frac{7}{10}$	÷	3	=	
9.	15.78	x	8	=	
10.	65.09	x	10	=	

Ninja challenge

Iko tells Sam that that 2,400 is **equal** to $\frac{4}{6}$ of 3,600. Is Iko correct? Explain why.

WEEK 20

Monday

1.	13	–	4.2	=	
2.	14	+	7.6	=	
3.	$\frac{1}{4}$	of	40	=	
4.	25%	of	20	=	
5.	160	÷	8	=	
6.	10%	of	100	=	
7.	20%	of	100	=	
8.	40%	of	100	=	
9.	38	x	4	=	
10.	225	÷	5	=	

Tuesday

1.	15	–	8.7	=	
2.	16	+	8.1	=	
3.	$\frac{1}{4}$	of	32	=	
4.	25%	of	40	=	
5.	200	÷	4	=	
6.	10%	of	200	=	
7.	20%	of	200	=	
8.	40%	of	200	=	
9.	46	x	4	=	
10.	304	÷	4	=	

Wednesday

1.	17	–	9.1	=	
2.	19	+	4.4	=	
3.	$\frac{1}{4}$	of	44	=	
4.	25%	of	16	=	
5.	180	÷	6	=	
6.	10%	of	320	=	
7.	20%	of	320	=	
8.	40%	of	320	=	
9.	52	x	5	=	
10.	312	÷	4	=	

Thursday

1.	21	–	10.7	=	
2.	12	+	11.3	=	
3.	$\frac{1}{4}$	of	28	=	
4.	25%	of	32	=	
5.	140	÷	2	=	
6.	10%	of	460	=	
7.	20%	of	460	=	
8.	40%	of	460	=	
9.	47	x	4	=	
10.	336	÷	4	=	

Friday

1.	24	–	13.2	=	
2.	13	+	12.9	=	
3.	$\frac{1}{4}$	of	20	=	
4.	25%	of	80	=	
5.	240	÷	6	=	
6.	10%	of	520	=	
7.	20%	of	520	=	
8.	40%	of	520	=	
9.	56	x	3	=	
10.	267	÷	3	=	

Ninja challenge

Tom states that 35% of 360 is 162. Is Tom correct?

Arithmetic Ninja 10–11 © Andrew Jennings, 2022

WEEK 20

Monday

1.	120%	of	120	=	
2.	12%	of	120	=	
3.	240%	of	120	=	
4.	120%	of	240	=	
5.	60%	of	240	=	
6.	$\frac{1}{12}$	of	144	=	
7.	$\frac{2}{12}$	of	144	=	
8.	$\frac{2}{12}$	of	1,440	=	
9.	$\frac{2}{12}$	of	14.4	=	
10.	$\frac{9}{12}$	of	288	=	

Tuesday

1.	1%	of	400	=	
2.	99%	of	400	=	
3.	99%	of	800	=	
4.	99%	of	500	=	
5.	99%	of	1,000	=	
6.	15	x	4	=	
7.	1.5	x	40	=	
8.	$1\frac{1}{2}$	x	40	=	
9.	$1\frac{1}{2}$	x	80	=	
10.	$2\frac{1}{2}$	x	40	=	

Wednesday

1.	1%	of	600	=	
2.	99%	of	600	=	
3.	99%	of	300	=	
4.	99%	of	700	=	
5.	99%	of	10	=	
6.	25	x	4	=	
7.	2.5	x	40	=	
8.	$2\frac{1}{2}$	x	40	=	
9.	$2\frac{1}{2}$	x	80	=	
10.	$2\frac{1}{2}$	x	400	=	

Thursday

1.	10%	of	650	=	
2.	20%	of	650	=	
3.	2%	of	650	=	
4.	30%	of	650	=	
5.	8%	of	650	=	
6.	35	x	4	=	
7.	3.5	x	40	=	
8.	$3\frac{1}{2}$	x	40	=	
9.	$3\frac{1}{2}$	x	80	=	
10.	$3\frac{1}{2}$	x	400	=	

Friday

1.	10%	of	450	=	
2.	20%	of	450	=	
3.	2%	of	450	=	
4.	8%	of	450	=	
5.	28%	of	450	=	
6.	45	x	8	=	
7.	4.5	x	80	=	
8.	$4\frac{1}{2}$	x	80	=	
9.	$4\frac{1}{2}$	x	160	=	
10.	$4\frac{1}{2}$	x	800	=	

Ninja challenge

Cho **multiplies** 732 by 9. What answer does Cho get?

WEEK 20

Monday

1.	24%	of	920	=	
2.	9	x	614	=	
3.	101	–	23.9	=	
4.	1	–	0.057	=	
5.	$4\frac{1}{3}$	–	$\frac{5}{6}$	=	
6.	$\frac{3}{5}$	x	$\frac{3}{4}$	=	
7.	$\frac{2}{11}$	x	4	=	
8.	$\frac{7}{10}$	÷	10	=	
9.	15.78	x	12	=	
10.	65.09	÷	10	=	

Tuesday

1.	24%	of	740	=	
2.	7	x	341	=	
3.	134	–	56.65	=	
4.	1	–	0.145	=	
5.	$1\frac{1}{7}$	–	$\frac{6}{14}$	=	
6.	$\frac{3}{8}$	x	$\frac{1}{4}$	=	
7.	$\frac{1}{9}$	x	4	=	
8.	$\frac{5}{6}$	÷	7	=	
9.	13.84	x	13	=	
10.	78.54	÷	10	=	

Wednesday

1.	24%	of	530	=	
2.	8	x	845	=	
3.	122	–	74.31	=	
4.	1	–	0.274	=	
5.	$1\frac{1}{6}$	–	$\frac{10}{12}$	=	
6.	$\frac{3}{5}$	x	$\frac{1}{5}$	=	
7.	$\frac{5}{21}$	x	4	=	
8.	$\frac{5}{9}$	÷	7	=	
9.	19.45	x	15	=	
10.	87.34	÷	10	=	

Thursday

1.	24%	of	670	=	
2.	9	x	756	=	
3.	134	–	86.04	=	
4.	1	–	0.317	=	
5.	$1\frac{3}{5}$	–	$\frac{14}{15}$	=	
6.	$\frac{5}{7}$	x	$\frac{4}{5}$	=	
7.	$\frac{3}{21}$	x	2	=	
8.	$\frac{5}{10}$	÷	2	=	
9.	21.67	x	11	=	
10.	86.98	÷	10	=	

Friday

1.	24%	of	780	=	
2.	4	x	826	=	
3.	143	–	94.56	=	
4.	1	–	0.561	=	
5.	$1\frac{6}{7}$	–	$\frac{13}{14}$	=	
6.	$\frac{1}{2}$	x	$\frac{1}{3}$	=	
7.	$\frac{3}{8}$	x	2	=	
8.	$\frac{1}{13}$	÷	2	=	
9.	24.71	x	17	=	
10.	87.21	÷	10	=	

Ninja challenge

Iko states that 47% of 1,900 is 983. Is Iko correct?

Monday

1.	2,351	–	1,531	=	
2.	1,361	+	1,567	=	
3.	$\frac{1}{4}$	of	200	=	
4.	25%	of	800	=	
5.	250	÷	5	=	
6.	10%	of	1,500	=	
7.	20%	of	1,500	=	
8.	40%	of	1,500	=	
9.	132	x	3	=	
10.	204	÷	6	=	

Tuesday

1.	2,736	–	2,342	=	
2.	3,215	+	1,485	=	
3.	$\frac{1}{4}$	of	600	=	
4.	25%	of	480	=	
5.	320	÷	4	=	
6.	10%	of	1,000	=	
7.	20%	of	1,000	=	
8.	40%	of	1,000	=	
9.	231	x	3	=	
10.	252	÷	6	=	

Wednesday

1.	3,502	–	1,572	=	
2.	3,471	+	1,540	=	
3.	$\frac{1}{4}$	of	620	=	
4.	25%	of	420	=	
5.	400	÷	5	=	
6.	10%	of	1,200	=	
7.	20%	of	1,200	=	
8.	40%	of	1,200	=	
9.	422	x	3	=	
10.	342	÷	6	=	

Thursday

1.	5,509	–	2,453	=	
2.	3,603	+	1,421	=	
3.	$\frac{1}{4}$	of	240	=	
4.	25%	of	440	=	
5.	450	÷	5	=	
6.	10%	of	1,400	=	
7.	20%	of	1,400	=	
8.	40%	of	1,400	=	
9.	523	x	3	=	
10.	384	÷	6	=	

Friday

1.	6,481	–	1,512	=	
2.	4,561	+	2,432	=	
3.	$\frac{1}{4}$	of	300	=	
4.	25%	of	500	=	
5.	630	÷	7	=	
6.	10%	of	1,900	=	
7.	20%	of	1,900	=	
8.	40%	of	1,900	=	
9.	632	x	3	=	
10.	390	÷	6	=	

Ninja challenge

Sam **counts back** 10,000 from 173,800. Iko **counts on** 1,000 from 162,800. Who has more?

WEEK 21

Monday

1.	25%	of	1,000	=	
2.	2.5%	of	1,000	=	
3.	1,000	x	25%	=	
4.	1,000	x	$\frac{25}{100}$	=	
5.	1,000	x	0.25	=	
6.	15	x	3	=	
7.	1.5	x	3	=	
8.	$1\frac{1}{2}$	x	3	=	
9.	15	x	15	=	
10.	1.5	x	15	=	

Tuesday

1.	$\frac{1}{4}$	of	1,000	=	
2.	$\frac{1}{4}$	of	2,000	=	
3.	$\frac{1}{4}$	of	200	=	
4.	$\frac{1}{8}$	of	2,000	=	
5.	2,000	x	0.125	=	
6.	1.5	x	150	=	
7.	$1\frac{1}{2}$	x	15	=	
8.	1.5	x	1.5	=	
9.	$1\frac{1}{2}$	x	1.5	=	
10.	$1\frac{1}{2}$	x	$1\frac{1}{2}$	=	

Wednesday

1.	40	÷	8	=	
2.	400	÷	8	=	
3.	400	÷	16	=	
4.	4,000	÷	160	=	
5.	160	x	25	=	
6.	2.5	x	160	=	
7.	2.5	x	16	=	
8.	$2\frac{1}{2}$	x	16	=	
9.	$2\frac{1}{2}$	x	1.6	=	
10.	$2\frac{1}{2}$	x	$1\frac{6}{10}$	=	

Thursday

1.	72	÷	8	=	
2.	720	÷	8	=	
3.	720	÷	16	=	
4.	7,200	÷	16	=	
5.	7,200	÷	32	=	
6.	25	x	9	=	
7.	2.5	x	9	=	
8.	$2\frac{1}{2}$	x	9	=	
9.	$2\frac{1}{2}$	x	18	=	
10.	$2\frac{1}{2}$	x	0.9	=	

Friday

1.	121	÷	11	=	
2.	242	÷	11	=	
3.	121	÷	1.1	=	
4.	121	÷	0.11	=	
5.	121	÷	22	=	
6.	25	x	16	=	
7.	25	x	15	=	
8.	$2\frac{1}{2}$	x	15	=	
9.	$2\frac{1}{2}$	x	1.5	=	
10.	$2\frac{1}{2}$	x	$1\frac{1}{2}$	=	

Ninja challenge

Iko tells Sam that that 150 is **equal** to $\frac{3}{7}$ of 350. Is Iko correct? Explain why.

WEEK 21

Monday

1.	32%	of	780	=	
2.	4	x	634	=	
3.	5^2	–	13.5	=	
4.	100	–	1.56	=	
5.	$1\frac{6}{7}$	–	$1\frac{1}{14}$	=	
6.	80	x	40	=	
7.	$\frac{4}{8}$	x	2	=	
8.	$\frac{1}{8}$	÷	5	=	
9.	124	x	17	=	
10.	817.2	÷	100	=	

Tuesday

1.	42%	of	320	=	
2.	5	x	234	=	
3.	6^2	–	14.7	=	
4.	100	–	11.45	=	
5.	$1\frac{2}{3}$	–	$1\frac{2}{6}$	=	
6.	30	x	70	=	
7.	$\frac{3}{12}$	x	3	=	
8.	$\frac{4}{5}$	÷	5	=	
9.	163	x	21	=	
10.	632.1	÷	100	=	

Wednesday

1.	51%	of	634	=	
2.	7	x	252	=	
3.	7^2	–	25.6	=	
4.	100	–	32.64	=	
5.	$1\frac{2}{5}$	–	$1\frac{1}{6}$	=	
6.	50	x	90	=	
7.	$\frac{4}{9}$	x	1	=	
8.	$\frac{4}{8}$	÷	3	=	
9.	324	x	23	=	
10.	754.5	÷	100	=	

Thursday

1.	56%	of	720	=	
2.	9	x	735	=	
3.	8^2	–	35.1	=	
4.	100	–	51.99	=	
5.	$1\frac{2}{5}$	–	$1\frac{1}{4}$	=	
6.	80	x	60	=	
7.	$\frac{1}{9}$	x	2	=	
8.	$\frac{4}{5}$	÷	7	=	
9.	177	x	34	=	
10.	739.1	÷	100	=	

Friday

1.	63%	of	430	=	
2.	6	x	563	=	
3.	9^2	–	63.2	=	
4.	100	–	76.82	=	
5.	$1\frac{4}{6}$	–	$1\frac{2}{30}$	=	
6.	110	x	60	=	
7.	$\frac{4}{9}$	x	2	=	
8.	$\frac{7}{8}$	÷	4	=	
9.	173	x	53	=	
10.	981.1	÷	100	=	

Ninja challenge

Cho **adds** 107,490 to 274,499. Cho then **adds** 117,091 more. What total does Cho get?

WEEK 22

Monday

1.	351,261	−	63,384	=	
2.	135,384	+	103,473	=	
3.	$\frac{3}{4}$	of	28	=	
4.	$\frac{3}{5}$	+	$\frac{3}{4}$	=	
5.	$\frac{7}{8}$	x	4	=	
6.	1,341	x	4	=	
7.	4,320	÷	100	=	
8.	0.05	x	100	=	
9.	$\frac{3}{8}$	x	$\frac{1}{2}$	=	
10.	978	÷	6	=	

Tuesday

1.	405,481	−	109,445	=	
2.	220,985	+	115,422	=	
3.	$\frac{5}{9}$	of	72	=	
4.	$\frac{2}{3}$	+	$\frac{2}{5}$	=	
5.	$\frac{4}{5}$	x	4	=	
6.	956	x	7	=	
7.	1,780	÷	100	=	
8.	0.14	x	100	=	
9.	$\frac{4}{5}$	x	$\frac{2}{3}$	=	
10.	2,884	÷	7	=	

Wednesday

1.	671,263	−	204,394	=	
2.	347,223	+	190,355	=	
3.	$\frac{3}{7}$	of	35	=	
4.	$\frac{3}{4}$	+	$\frac{9}{12}$	=	
5.	$\frac{6}{9}$	x	6	=	
6.	1,054	x	9	=	
7.	2,730	÷	100	=	
8.	0.98	x	100	=	
9.	$\frac{4}{10}$	x	$\frac{1}{4}$	=	
10.	4,504	÷	8	=	

Thursday

1.	871,273	−	453,485	=	
2.	650,482	+	156,339	=	
3.	$\frac{3}{12}$	of	144	=	
4.	$\frac{5}{6}$	+	$\frac{11}{12}$	=	
5.	$\frac{7}{10}$	x	9	=	
6.	2,154	x	9	=	
7.	3,480	÷	100	=	
8.	1.56	x	100	=	
9.	$\frac{9}{11}$	x	$\frac{2}{6}$	=	
10.	3,717	÷	9	=	

Friday

1.	550,481	−	189,750	=	
2.	540,388	+	220,561	=	
3.	$\frac{8}{9}$	of	54	=	
4.	$\frac{6}{9}$	+	$\frac{2}{3}$	=	
5.	$\frac{3}{5}$	x	12	=	
6.	3,041	x	9	=	
7.	4,510	÷	100	=	
8.	2.14	x	100	=	
9.	$\frac{8}{9}$	x	$\frac{6}{7}$	=	
10.	2,765	÷	7	=	

Ninja challenge

Tom **counts back** 10,000 from 483,382.
What number does Tom finish on?

Monday

1.	10%	of	8	=
2.	20%	of	8	=
3.	30%	of	8	=
4.	4	x	125	=
5.	8	x	125	=
6.	16	x	125	=
7.	32	x	125	=
8.	64	x	125	=
9.	64	x	12.5	=
10.	64	x	25	=

Tuesday

1.	10%	of	7	=
2.	20%	of	7	=
3.	70%	of	7	=
4.	$\frac{1}{10}$	of	7	=
5.	$\frac{2}{10}$	of	7	=
6.	$\frac{7}{10}$	of	7	=
7.	7	x	0.1	=
8.	7	x	0.2	=
9.	7	x	0.3	=
10.	7	x	0.7	=

Wednesday

1.	9	x	9	=
2.	4.5	x	9	=
3.	45	x	9	=
4.	45	x	18	=
5.	45	x	180	=
6.	$\sqrt{81}$	x	10	=
7.	$\sqrt{81}$	÷	10	=
8.	$\sqrt{81}$	x	0.1	=
9.	$\sqrt{81}$	x	0.2	=
10.	$\sqrt{81}$	÷	0.1	=

Thursday

1.	7	x	7	=
2.	7	x	3.5	=
3.	7	x	35	=
4.	14	x	35	=
5.	1.4	x	35	=
6.	7	x	0.7	=
7.	7	x	$\frac{7}{10}$	=
8.	$\sqrt{49}$	x	0.7	=
9.	$\sqrt{49}$	x	14	=
10.	$\sqrt{49}$	x	1.4	=

Friday

1.	10%	of	12	=
2.	20%	of	12	=
3.	120%	of	12	=
4.	$\frac{1}{10}$	of	12	=
5.	$\frac{2}{10}$	of	12	=
6.	$\frac{12}{10}$	of	12	=
7.	12	x	1.2	=
8.	12	x	2.4	=
9.	12	x	240	=
10.	120	x	240	=

Ninja challenge

Sam **divides** 48,000 by 6. Sam states that his answer is **greater than** 7,000 and **less than** 9,000. Is Sam correct? Explain why?

WEEK 22

Monday

1.		=	423,402	–	271,284
2.		=	194,382	+	84,483
3.		=	53	x	29
4.	37	=		÷	56
5.	$\frac{1}{5}$	x	3	=	
6.	$\frac{1}{7}$	÷	4	=	
7.		=	10%	of	1,540
8.		=	1%	of	743
9.		=	$\frac{3}{5}$	of	4,500
10.		=	14.57	x	1,000

Tuesday

1.		=	517,477	–	406,388
2.		=	205,453	+	194,524
3.		=	47	x	32
4.	67	=		÷	28
5.	$\frac{3}{9}$	x	2	=	
6.	$\frac{5}{7}$	÷	2	=	
7.		=	10%	of	1,056
8.		=	1%	of	809
9.		=	$\frac{3}{7}$	of	4,900
10.		=	10.69	x	1,000

Wednesday

1.		=	613,271	–	293,445
2.		=	233,456	+	124,432
3.		=	49	x	27
4.	62	=		÷	45
5.	$\frac{3}{10}$	x	3	=	
6.	$\frac{2}{4}$	÷	2	=	
7.		=	10%	of	2,406
8.		=	1%	of	616
9.		=	$\frac{3}{4}$	of	3,600
10.		=	11.45	x	1,000

Thursday

1.		=	740,471	–	199,254
2.		=	505,302	+	109,912
3.		=	61	x	23
4.	36	=		÷	27
5.	$\frac{3}{13}$	x	4	=	
6.	$\frac{2}{4}$	÷	10	=	
7.		=	10%	of	3,904
8.		=	1%	of	904
9.		=	$\frac{3}{7}$	of	5,600
10.		=	20.56	x	1,000

Friday

1.		=	945,330	–	724,299
2.		=	429,309	+	208,480
3.		=	55	x	47
4.	48	=		÷	38
5.	$\frac{2}{10}$	x	4	=	
6.	$\frac{4}{5}$	÷	4	=	
7.		=	10%	of	1,705
8.		=	1%	of	872
9.		=	$\frac{7}{8}$	of	6,400
10.		=	17.04	x	1,000

Ninja challenge

What number does Sam **multiply** 9,000 by to get an answer of 540,000?

Arithmetic Ninja 10–11 © Andrew Jennings, 2022

Monday

1.	363.4	minus	43.2	=	
2.	134.23	plus	23.3	=	
3.	$\frac{5}{9}$	of	54	equals	
4.	$\frac{8}{10}$	add	$\frac{4}{5}$	=	
5.	$\frac{3}{5}$	times	6	is equal to	
6.	23	multiplied by	15	=	
7.	126	times	7	=	
8.	0.15	x	1,000	equals	
9.	$\frac{5}{7}$	x	$\frac{2}{9}$	=	
10.	1,771	divided by	7	equals	

Tuesday

1.	125.6	minus	45.2	=	
2.	131.43	plus	27.6	=	
3.	$\frac{6}{8}$	of	56	equals	
4.	$\frac{8}{9}$	add	$\frac{15}{18}$	=	
5.	$\frac{5}{7}$	times	8	is equal to	
6.	42	multiplied by	22	=	
7.	204	times	8	=	
8.	0.78	x	100	equals	
9.	$\frac{5}{6}$	x	$\frac{7}{9}$	=	
10.	2,164	divided by	4	equals	

Wednesday

1.	203.44	minus	98.3	=	
2.	145.43	plus	56.7	=	
3.	$\frac{5}{9}$	of	81	equals	
4.	$\frac{3}{7}$	add	$\frac{10}{14}$	=	
5.	$\frac{9}{10}$	times	8	is equal to	
6.	36	multiplied by	24	=	
7.	315	times	5	=	
8.	0.98	x	1,000	equals	
9.	$\frac{7}{9}$	x	$\frac{5}{8}$	=	
10.	1,893	divided by	3	equals	

Thursday

1.	283.41	minus	115.4	=	
2.	183.21	plus	19.5	=	
3.	$\frac{6}{10}$	of	70	equals	
4.	$\frac{6}{7}$	add	$\frac{13}{14}$	=	
5.	$\frac{9}{11}$	times	8	is equal to	
6.	42	multiplied by	33	=	
7.	452	times	7	=	
8.	1.56	x	1,000	equals	
9.	$\frac{2}{10}$	x	$\frac{5}{8}$	=	
10.	3,560	divided by	5	equals	

Friday

1.	301.23	minus	76.4	=	
2.	198.9	plus	56.4	=	
3.	$\frac{9}{10}$	of	50	equals	
4.	$\frac{3}{4}$	add	$\frac{1}{2}$	=	
5.	$\frac{9}{12}$	times	5	is equal to	
6.	45	multiplied by	36	=	
7.	512	times	9	=	
8.	1.78	x	100	equals	
9.	$\frac{2}{9}$	x	$\frac{1}{7}$	=	
10.	3,972	divided by	6	equals	

Ninja challenge

Tom states that 60% of 1,400 is 820. Is Tom correct?

WEEK 23

Monday

1.	10%	of	90	=	
2.	5%	of	90	=	
3.	15%	of	90	=	
4.	15%	of	900	=	
5.	8	x	125	=	
6.	9	x	125	=	
7.	18	x	125	=	
8.	36	x	125	=	
9.	72	x	125	=	
10.	73	x	125	=	

Tuesday

1.	10%	of	6	=	
2.	20%	of	6	=	
3.	60%	of	6	=	
4.	$\frac{1}{10}$	of	6	=	
5.	$\frac{2}{10}$	of	6	=	
6.	$\frac{6}{10}$	of	6	=	
7.	6	x	0.1	=	
8.	6	x	0.2	=	
9.	6	x	0.6	=	
10.	6	x	1.2	=	

Wednesday

1.	11	x	11	=	
2.	5.5	x	11	=	
3.	55	x	11	=	
4.	55	x	1.1	=	
5.	55	x	22	=	
6.	$\sqrt{121}$	x	10	=	
7.	$\sqrt{121}$	÷	10	=	
8.	$\sqrt{121}$	x	0.1	=	
9.	$\sqrt{121}$	x	0.2	=	
10.	$\sqrt{121}$	÷	0.1	=	

Thursday

1.	13	x	13	=	
2.	13	x	6.5	=	
3.	13	x	65	=	
4.	13	x	130	=	
5.	1.3	x	130	=	
6.	13	x	1.3	=	
7.	13	x	$\frac{13}{10}$	=	
8.	$\sqrt{169}$	x	0.1	=	
9.	$\sqrt{169}$	x	0.2	=	
10.	$\sqrt{169}$	x	12	=	

Friday

1.	10%	of	15	=	
2.	20%	of	15	=	
3.	100%	of	15	=	
4.	50%	of	15	=	
5.	150%	of	15	=	
6.	150%	of	150	=	
7.	15	x	15	=	
8.	225	÷	15	=	
9.	22.5	÷	15	=	
10.	2,250	÷	15	=	

Ninja challenge

Sam **subtracts** 362,730 from 909,340.
What answer does Sam get?

Monday

1.		=	560,392	–	10,000
2.		=	417,288	+	1,000
3.		=	127	x	9
4.	48	=		÷	8
5.		=	$\frac{2}{10}$	x	4
6.		=	$\frac{4}{5}$	÷	3
7.		=	20%	of	3,200
8.		=	1%	of	2,870
9.		=	$\frac{7}{8}$	of	640
10.		=	$\frac{4}{5}$	x	$\frac{1}{5}$

Tuesday

1.		=	370,377	–	10,000
2.		=	506,372	+	1,000
3.		=	243	x	4
4.	75	=		÷	9
5.		=	$\frac{2}{11}$	x	3
6.		=	$\frac{4}{5}$	÷	2
7.		=	20%	of	1,900
8.		=	1%	of	3,190
9.		=	$\frac{5}{6}$	of	540
10.		=	$\frac{1}{2}$	x	$\frac{1}{5}$

Wednesday

1.		=	452,483	–	10,000
2.		=	315,339	+	1,000
3.		=	317	x	6
4.	67	=		÷	8
5.		=	$\frac{1}{5}$	x	4
6.		=	$\frac{3}{6}$	÷	2
7.		=	20%	of	2,600
8.		=	1%	of	4,010
9.		=	$\frac{5}{7}$	of	210
10.		=	$\frac{2}{5}$	x	$\frac{1}{3}$

Thursday

1.		=	198,329	–	10,000
2.		=	809,224	+	1,000
3.		=	437	x	7
4.	76	=		÷	7
5.		=	$\frac{2}{10}$	x	4
6.		=	$\frac{3}{8}$	÷	2
7.		=	20%	of	3,100
8.		=	1%	of	5,910
9.		=	$\frac{5}{6}$	of	720
10.		=	$\frac{5}{7}$	x	$\frac{2}{3}$

Friday

1.		=	175,477	–	10,000
2.		=	300,003	+	1,000
3.		=	524	x	6
4.	82	=		÷	9
5.		=	$\frac{6}{15}$	x	2
6.		=	$\frac{3}{5}$	÷	2
7.		=	20%	of	5,700
8.		=	1%	of	6,010
9.		=	$\frac{6}{10}$	of	900
10.		=	$\frac{3}{4}$	x	$\frac{2}{3}$

Ninja challenge

Sam multiplies the **product** of 34 **times** 6 by 23. What answer does Sam have?

Monday

1.	10	minus	1.63	=	
2.	100	take away	13.6	=	
3.	$\frac{6}{9}$	of	270	equals	
4.	$\frac{5}{6}$	minus	$\frac{1}{2}$	=	
5.	$\frac{5}{8}$	times	5	is equal to	
6.	11%	of	450	=	
7.	352	times	9	=	
8.	1.78	x	100	equals	
9.	$\frac{3}{9}$	x	$\frac{3}{9}$	=	
10.	2,044	divided by	4	equals	

Tuesday

1.	10	minus	5.31	=	
2.	100	take away	25.3	=	
3.	$\frac{2}{8}$	of	480	equals	
4.	$\frac{4}{5}$	minus	$\frac{2}{4}$	=	
5.	$\frac{5}{9}$	times	6	is equal to	
6.	11%	of	340	=	
7.	197	times	8	=	
8.	2.54	x	1,000	equals	
9.	$\frac{5}{9}$	x	$\frac{7}{10}$	=	
10.	3,370	divided by	5	equals	

Wednesday

1.	10	minus	7.05	=	
2.	100	take away	63.7	=	
3.	$\frac{5}{7}$	of	350	equals	
4.	$\frac{8}{9}$	minus	$\frac{2}{3}$	=	
5.	$\frac{7}{11}$	times	8	is equal to	
6.	11%	of	760	=	
7.	323	times	9	=	
8.	4.03	x	1,000	equals	
9.	$\frac{3}{8}$	x	$\frac{4}{10}$	=	
10.	4,236	divided by	6	equals	

Thursday

1.	10	minus	8.84	=	
2.	100	take away	73.8	=	
3.	$\frac{5}{6}$	of	540	equals	
4.	$\frac{8}{10}$	minus	$\frac{1}{5}$	=	
5.	$\frac{7}{9}$	times	5	is equal to	
6.	11%	of	890	=	
7.	417	times	8	=	
8.	12.3	x	1,000	equals	
9.	$\frac{3}{7}$	x	$\frac{4}{11}$	=	
10.	6,181	divided by	7	equals	

Friday

1.	10	minus	9.01	=	
2.	100	take away	50.2	=	
3.	$\frac{5}{7}$	of	490	equals	
4.	$\frac{11}{12}$	minus	$\frac{1}{4}$	=	
5.	$\frac{4}{5}$	times	9	is equal to	
6.	11%	of	660	=	
7.	643	times	7	=	
8.	53.4	x	100	equals	
9.	$\frac{5}{12}$	x	$\frac{6}{9}$	=	
10.	6,741	divided by	9	equals	

Ninja challenge

Tom says **half** of **100,000** is greater than a **quarter of** 200,000. Is Tom correct? Explain why.

WEEK 24

Monday

1.	3	–	0.34	=	
2.	25,000	–	190	=	
3.	$\frac{4}{6}$	÷	2	=	
4.	$\frac{4}{5}$	÷	2	=	
5.	$\frac{8}{10}$	÷	2	=	
6.	0.8	÷	2	=	
7.	0.8	÷	0.2	=	
8.	$\frac{8}{10}$	÷	$\frac{2}{10}$	=	
9.	$\frac{8}{10}$	÷	$\frac{4}{10}$	=	
10.	0.8	÷	0.4	=	

Tuesday

1.	90%	of	60	=	
2.	90%	of	6	=	
3.	0.9	x	6	=	
4.	$\frac{9}{10}$	of	6	=	
5.	$\frac{9}{10}$	of	60	=	
6.	600	x	$\frac{9}{10}$	=	
7.	7	x	0.1	=	
8.	7	x	0.2	=	
9.	7	x	0.7	=	
10.	7	x	1.2	=	

Wednesday

1.	14	x	14	=	
2.	1.4	x	14	=	
3.	28	x	14	=	
4.	1.4	x	1.4	=	
5.	196	÷	14	=	
6.	$\sqrt{196}$	x	10	=	
7.	$\sqrt{196}$	÷	10	=	
8.	$\sqrt{196}$	x	0.1	=	
9.	$\sqrt{196}$	x	0.2	=	
10.	$\sqrt{196}$	÷	0.1	=	

Thursday

1.	8	x	8	=	
2.	8	x	16	=	
3.	16	x	16	=	
4.	16 squared	x	10	=	
5.	16 squared	÷	10	=	
6.	9 x	9 x	9	=	
7.	9	x	81	=	
8.	$\sqrt{256}$	x	0.1	=	
9.	$\sqrt{256}$	x	0.2	=	
10.	$\sqrt{256}$	x	0.4	=	

Friday

1.	10%	of	35	=	
2.	20%	of	35	=	
3.	100%	of	35	=	
4.	50%	of	35	=	
5.	150%	of	35	=	
6.	150%	of	70	=	
7.	$\frac{3}{4}$	x	$\frac{2}{4}$	=	
8.	0.75	÷	0.5	=	
9.	75	÷	0.5	=	
10.	75	÷	$\frac{1}{2}$	=	

Ninja challenge

Tom tells Iko that that 490 is **equal** to $\frac{7}{9}$ of 720. Is Tom correct? Explain why.

WEEK 24

Monday

#					
1.		=	10,000	more than	305,331
2.		equals	1,000	less than	297,210
3.		=	100	more than	65,603
4.		is equal to	10	less than	283,804
5.		equals	$\frac{6}{15}$	multiplied by	2
6.		=	$\frac{3}{5}$	divided by	2
7.		equals	40%	of	5,700
8.		=	2%	of	2,300
9.	$\frac{3}{4}$	plus	$\frac{7}{8}$	equals	
10.		=	$\frac{2}{3}$	times	$\frac{5}{10}$

Tuesday

#					
1.		=	10,000	more than	391,412
2.		equals	1,000	less than	311,821
3.		=	100	more than	102,341
4.		is equal to	10	less than	76,315
5.		equals	$\frac{3}{7}$	multiplied by	2
6.		=	$\frac{2}{6}$	divided by	2
7.		equals	40%	of	6,100
8.		=	2%	of	1,800
9.	$\frac{3}{5}$	plus	$\frac{2}{6}$	equals	
10.		=	$\frac{4}{6}$	times	$\frac{5}{10}$

Wednesday

#					
1.		=	10,000	more than	702,334
2.		equals	1,000	less than	204,312
3.		=	100	more than	211,321
4.		is equal to	10	less than	372,184
5.		equals	$\frac{3}{9}$	multiplied by	2
6.		=	$\frac{6}{7}$	divided by	3
7.		equals	40%	of	5,200
8.		=	2%	of	2,200
9.	$\frac{2}{6}$	plus	$\frac{2}{9}$	equals	
10.		=	$\frac{2}{5}$	times	$\frac{4}{6}$

Thursday

#					
1.		=	10,000	more than	617,712
2.		equals	1,000	less than	556,904
3.		=	100	more than	73,812
4.		is equal to	10	less than	83,204
5.		equals	$\frac{2}{10}$	multiplied by	4
6.		=	$\frac{3}{12}$	divided by	2
7.		equals	40%	of	8,200
8.		=	2%	of	3,400
9.	$\frac{5}{8}$	plus	$\frac{13}{16}$	equals	
10.		=	$\frac{2}{5}$	times	$\frac{7}{10}$

Friday

#					
1.		=	10,000	more than	184,312
2.		equals	1,000	less than	402,295
3.		=	100	more than	582,827
4.		is equal to	10	less than	838,917
5.		equals	$\frac{2}{7}$	multiplied by	3
6.		=	$\frac{6}{7}$	divided by	4
7.		equals	40%	of	6,200
8.		=	2%	of	5,400
9.	$\frac{7}{9}$	plus	$\frac{2}{3}$	equals	
10.		=	$\frac{2}{3}$	times	$\frac{7}{8}$

Ninja challenge

Cho has an answer of 280,000. If Cho has 4 **equal groups**, what is each **equal group** made up of?

Monday

1.	4 + 6	x	6	=	
2.	5 + 40	÷	9	=	
3.	$\frac{5}{9}$	of	360	equals	
4.	$\frac{3}{6}$	times	9	is equal to	
5.	11%	of	340	=	
6.	12%	of	120	=	
7.	23%	of	220	equals	
8.	$\frac{3}{8}$	x	$\frac{2}{3}$	=	
9.	3,663	divided by	9	equals	
10.	23	x	45	=	

Tuesday

1.	12 + 7	x	8	=	
2.	9 + 79	÷	8	=	
3.	$\frac{5}{6}$	of	120	equals	
4.	$\frac{4}{9}$	times	12	is equal to	
5.	11%	of	170	=	
6.	12%	of	150	=	
7.	23%	of	350	equals	
8.	$\frac{1}{3}$	x	$\frac{4}{5}$	=	
9.	2,359	divided by	7	equals	
10.	43	x	37	=	

Wednesday

1.	2 + 7	x	(2 x 5)	=	
2.	9 + 63	÷	(2 x 3)	=	
3.	$\frac{8}{9}$	of	810	equals	
4.	$\frac{8}{9}$	times	6	is equal to	
5.	11%	of	150	=	
6.	12%	of	190	=	
7.	23%	of	230	equals	
8.	$\frac{1}{4}$	x	$\frac{4}{8}$	=	
9.	1,839	divided by	3	equals	
10.	51	x	43	=	

Thursday

1.	10 + 7	x	(2 x 3)	=	
2.	20 + 28	÷	(4 x 3)	=	
3.	$\frac{2}{3}$	of	270	equals	
4.	$\frac{3}{4}$	times	9	is equal to	
5.	11%	of	310	=	
6.	12%	of	420	=	
7.	23%	of	540	equals	
8.	$\frac{2}{4}$	x	$\frac{1}{10}$	=	
9.	1,836	divided by	4	equals	
10.	54	x	49	=	

Friday

1.	19 + 9	x	(3 x 3)	=	
2.	60 + 3	÷	(1 x 3)	=	
3.	$\frac{3}{5}$	of	450	equals	
4.	$\frac{3}{5}$	times	9	is equal to	
5.	11%	of	250	=	
6.	12%	of	440	=	
7.	23%	of	200	equals	
8.	$\frac{3}{4}$	x	$\frac{5}{10}$	=	
9.	3,080	divided by	5	equals	
10.	62	x	32	=	

Ninja challenge

Tom totals 90 **groups of** 30. Sam totals 70 **groups of** 40. Sam says that his total is greater than Tom's. Is Sam correct? Explain why.

WEEK 25

Monday

1.	7	–	0.99	=	
2.	37,000	–	5,400	=	
3.	$\frac{6}{8}$	÷	2	=	
4.	$\frac{3}{4}$	÷	2	=	
5.	$\frac{9}{12}$	÷	2	=	
6.	0.75	÷	2	=	
7.	7.5	÷	2	=	
8.	7.5	÷	0.2	=	
9.	7.5	÷	$\frac{2}{10}$	=	
10.	15	÷	0.2	=	

Tuesday

1.	90%	of	70	=	
2.	90%	of	7	=	
3.	0.9	x	7	=	
4.	$\frac{9}{10}$	of	7	=	
5.	$\frac{9}{10}$	of	700	=	
6.	700	x	$\frac{9}{10}$	=	
7.	25	x	0.1	=	
8.	25	x	0.2	=	
9.	$\frac{2}{10}$	of	25	=	
10.	20%	of	25	=	

Wednesday

1.	25	x	24	=	
2.	25	x	25	=	
3.	25	x	2.5	=	
4.	25	x	$2\frac{1}{2}$	=	
5.	2.5	x	2.5	=	
6.	$\sqrt{625}$	x	10	=	
7.	$\sqrt{625}$	÷	10	=	
8.	$\sqrt{625}$	x	0.1	=	
9.	$\sqrt{625}$	x	0.2	=	
10.	$\sqrt{625}$	÷	0.1	=	

Thursday

1.	20	x	19	=	
2.	19	x	19	=	
3.	19	x	38	=	
4.	19 squared	x	10	=	
5.	19 squared	÷	10	=	
6.	4 x	4 x	4	=	
7.	4	x	16	=	
8.	$\sqrt{361}$	x	0.1	=	
9.	$\sqrt{361}$	x	0.2	=	
10.	$\sqrt{361}$	x	0.4	=	

Friday

1.	10%	of	95	=	
2.	20%	of	95	=	
3.	100%	of	95	=	
4.	200%	of	95	=	
5.	15%	of	30	=	
6.	150%	of	30	=	
7.	$\frac{4}{5}$	x	$\frac{1}{2}$	=	
8.	$\frac{8}{10}$	x	0.5	=	
9.	0.8	x	0.5	=	
10.	0.8	÷	$\frac{1}{2}$	=	

Ninja challenge

Cho tells Tom that that 640 is **equal** to $\frac{5}{6}$ of 720. Is Cho correct? Explain why.

WEEK 25

Monday

1.	729,234	=	1,000	more than	
2.	204,282	equals	100	less than	
3.	299,398	=	10	more than	
4.	92,221	is equal to	10,000	less than	
5.		equals	$\frac{1}{4}$	multiplied by	2
6.		=	$\frac{2}{5}$	divided by	4
7.	840	equals	60%	of	
8.	32	=	2%	of	
9.	$\frac{4}{6}$	plus	$\frac{3}{4}$	equals	
10.		=	$\frac{3}{5}$	times	$\frac{2}{3}$

Tuesday

1.	494,221	=	1,000	more than	
2.	314,267	equals	100	less than	
3.	617,342	=	10	more than	
4.	892,293	is equal to	10,000	less than	
5.		equals	$\frac{1}{9}$	multiplied by	5
6.		=	$\frac{5}{6}$	divided by	3
7.	492	equals	60%	of	
8.	14.2	=	2%	of	
9.	$\frac{7}{8}$	plus	$\frac{3}{4}$	equals	
10.		=	$\frac{2}{7}$	times	$\frac{5}{6}$

Wednesday

1.	302,211	=	1,000	more than	
2.	455,314	equals	100	less than	
3.	111,121	=	10	more than	
4.	939,494	is equal to	10,000	less than	
5.		equals	$\frac{2}{12}$	multiplied by	5
6.		=	$\frac{3}{8}$	divided by	2
7.	270	equals	60%	of	
8.	5.6	=	2%	of	
9.	$\frac{7}{9}$	plus	$\frac{2}{3}$	equals	
10.		=	$\frac{6}{10}$	times	$\frac{3}{4}$

Thursday

1.	151,593	=	1,000	more than	
2.	627,011	equals	100	less than	
3.	529,222	=	10	more than	
4.	793,321	is equal to	10,000	less than	
5.		equals	$\frac{7}{15}$	multiplied by	2
6.		=	$\frac{7}{9}$	divided by	2
7.	144	equals	60%	of	
8.	6.8	=	2%	of	
9.	$\frac{7}{10}$	plus	$\frac{4}{5}$	equals	
10.		=	$\frac{5}{9}$	times	$\frac{3}{4}$

Friday

1.	94,203	=	1,000	more than	
2.	47,393	equals	100	less than	
3.	56,054	=	10	more than	
4.	77,361	is equal to	10,000	less than	
5.		equals	$\frac{3}{12}$	multiplied by	3
6.		=	$\frac{5}{10}$	divided by	5
7.	126	equals	60%	of	
8.	3	=	2%	of	
9.	$\frac{6}{9}$	plus	$\frac{2}{3}$	equals	
10.		=	$\frac{6}{7}$	times	$\frac{1}{6}$

Ninja challenge

Cho says that 834,395 **less than** 1,000,000 equals 156,605. Is Cho correct? Explain why.

WEEK 26

Monday

1.	$(3^2 + 4)$	x	(5×3)	=	
2.	$(4^2 + 3 \times 8)$	÷	5	=	
3.	$\frac{3}{5}$	of	4,500	=	
4.	4.6	x	7	=	
5.	15%	of	400	=	
6.	21%	of	500	=	
7.	35%	of	200	=	
8.	$1\frac{3}{5}$	+	$\frac{5}{10}$	=	
9.	2,892	÷	4	=	
10.	142	x	23	=	

Tuesday

1.	$(26 + 3)$	x	(5×4)	=	
2.	$(3^2 + 6 \times 5)$	÷	10	=	
3.	$\frac{3}{5}$	of	1,500	=	
4.	9.12	x	7	=	
5.	14%	of	260	=	
6.	26%	of	340	=	
7.	32%	of	440	=	
8.	$1\frac{2}{6}$	+	$\frac{2}{3}$	=	
9.	2,838	÷	6	=	
10.	132	x	26	=	

Wednesday

1.	$(5^2 + 3)$	x	(5×6)	=	
2.	$(8^2 + 7 \times 5)$	÷	3	=	
3.	$\frac{3}{9}$	of	6,300	=	
4.	10.45	x	5	=	
5.	15%	of	440	=	
6.	24%	of	330	=	
7.	42%	of	260	=	
8.	$2\frac{1}{3}$	+	$\frac{5}{6}$	=	
9.	4,797	÷	9	=	
10.	143	x	24	=	

Thursday

1.	$(10^2 + 2)$	x	(5×9)	=	
2.	$(6^2 + 7 \times 6)$	÷	6	=	
3.	$\frac{3}{9}$	of	8,100	=	
4.	13.44	x	6	=	
5.	13%	of	380	=	
6.	26%	of	610	=	
7.	52%	of	340	=	
8.	$2\frac{1}{5}$	+	$\frac{3}{4}$	=	
9.	2,682	÷	6	=	
10.	155	x	32	=	

Friday

1.	$(7^2 + 3)$	x	(7×2)	=	
2.	$(4^2 + 2 \times 6)$	÷	4	=	
3.	$\frac{3}{7}$	of	4,200	=	
4.	17.43	x	5	=	
5.	13%	of	250	=	
6.	26%	of	290	=	
7.	52%	of	310	=	
8.	$2\frac{1}{4}$	+	$\frac{7}{8}$	=	
9.	3,507	÷	7	=	
10.	183	x	42	=	

Ninja challenge

Cho **counts on** 100,000 from 10,294.
What number does Cho count on to?

Arithmetic Ninja 10–11 © Andrew Jennings, 2022

Monday

1.	1.2	–	0.9	=	
2.	35,000	–	6,000	=	
3.	$\frac{12}{20}$	÷	2	=	
4.	$\frac{6}{10}$	÷	2	=	
5.	0.6	÷	2	=	
6.	$\frac{3}{5}$	÷	2	=	
7.	$4\frac{1}{2}$	÷	2	=	
8.	4.5	÷	2	=	
9.	4.5	÷	0.2	=	
10.	45	÷	0.2	=	

Tuesday

1.	$1\frac{1}{2}$	x	$\frac{1}{2}$	=	
2.	1.5	x	0.5	=	
3.	15	x	$\frac{1}{2}$	=	
4.	15	x	0.5	=	
5.	$1\frac{1}{2}$	÷	$\frac{1}{2}$	=	
6.	1.5	÷	0.5	=	
7.	15	÷	0.5	=	
8.	15	÷	$\frac{1}{4}$	=	
9.	15	÷	0.25	=	
10.	15	÷	2.5	=	

Wednesday

1.	32	x	25	=	
2.	64	x	25	=	
3.	128	x	25	=	
4.	128	x	$2\frac{1}{2}$	=	
5.	128	x	2.5	=	
6.	$\sqrt{25}$	x	10	=	
7.	$\sqrt{25}$	÷	10	=	
8.	$\sqrt{25}$	x	0.1	=	
9.	$\sqrt{25}$	x	0.2	=	
10.	$\sqrt{25}$	÷	0.1	=	

Thursday

1.	3	x	99	=	
2.	4	x	99	=	
3.	40	x	99	=	
4.	20 squared	x	10	=	
5.	20 squared	÷	10	=	
6.	5 x	5 x	5	=	
7.	5	x	25	=	
8.	$\sqrt{25}$	x	10	=	
9.	$\sqrt{25}$	x	100	=	
10.	$\sqrt{25}$	x	0.1	=	

Friday

1.	10%	of	9	=	
2.	20%	of	9	=	
3.	30%	of	9	=	
4.	60%	of	9	=	
5.	15%	of	80	=	
6.	150%	of	80	=	
7.	$\frac{3}{5}$	x	$\frac{1}{2}$	=	
8.	$\frac{6}{10}$	x	0.5	=	
9.	0.6	x	0.5	=	
10.	0.6	x	$\frac{1}{2}$	=	

Ninja challenge

Sam **shares** 56,000 into 7 **equal groups**. How much will Sam have in each group?

WEEK 26

Monday

1.		=	20%	of	460
2.		=	60%	of	920
3.		=	90%	of	820
4.		=	1%	of	400
5.		=	5%	of	300
6.		=	6%	of	700
7.	$\frac{4}{6}$	of	36	=	
8.		=	$\frac{3}{7}$	of	210
9.	$\frac{6}{9}$	of	8,100	=	
10.		=	$\frac{2}{3}$	of	15,000

Tuesday

1.		=	20%	of	520
2.		=	60%	of	840
3.		=	90%	of	760
4.		=	1%	of	300
5.		=	5%	of	900
6.		=	6%	of	1,200
7.	$\frac{5}{7}$	of	35	=	
8.		=	$\frac{3}{7}$	of	490
9.	$\frac{6}{7}$	of	4,200	=	
10.		=	$\frac{5}{7}$	of	28,000

Wednesday

1.		=	30%	of	670
2.		=	40%	of	260
3.		=	70%	of	390
4.		=	1%	of	1,400
5.		=	5%	of	1,500
6.		=	6%	of	1,900
7.	$\frac{5}{6}$	of	54	=	
8.		=	$\frac{8}{9}$	of	720
9.	$\frac{6}{11}$	of	4,400	=	
10.		=	$\frac{5}{8}$	of	48,000

Thursday

1.		=	30%	of	540
2.		=	40%	of	710
3.		=	70%	of	630
4.		=	1%	of	1,700
5.		=	5%	of	2,200
6.		=	6%	of	2,600
7.	$\frac{5}{7}$	of	49	=	
8.		=	$\frac{8}{9}$	of	810
9.	$\frac{3}{9}$	of	5,400	=	
10.		=	$\frac{5}{9}$	of	63,000

Friday

1.		=	30%	of	96
2.		=	40%	of	84
3.		=	70%	of	78
4.		=	1%	of	740
5.		=	5%	of	620
6.		=	6%	of	390
7.	$\frac{5}{6}$	of	42	=	
8.		=	$\frac{8}{12}$	of	1,080
9.	$\frac{3}{5}$	of	4,500	=	
10.		=	$\frac{6}{7}$	of	63,000

Ninja challenge

Iko adds an unknown number to 199,899 and gets an answer of 989,098. What is Iko's unknown number?

Arithmetic Ninja 10–11 © Andrew Jennings, 2022

Monday

1.	$(7^2 - 3)$	x	(4×2)	=	
2.	$(6^2 - 2 \times 6)$	÷	3	=	
3.	$\frac{3}{7}$	of	4,900	=	
4.	12%	of	450	=	
5.	24%	of	260	=	
6.	$2\frac{1}{4}$	−	$\frac{7}{8}$	=	
7.	322	÷	14	=	
8.	753	÷	3	=	
9.	164	x	4	=	
10.	$\frac{3}{7}$	x	2	=	

Tuesday

1.	$(5^2 - 2)$	x	(5×2)	=	
2.	$(6^2 - 1 \times 6)$	÷	2	=	
3.	$\frac{5}{8}$	of	1,600	=	
4.	13%	of	410	=	
5.	21%	of	190	=	
6.	$2\frac{3}{5}$	−	$\frac{9}{10}$	=	
7.	525	÷	15	=	
8.	1,416	÷	4	=	
9.	613	x	6	=	
10.	$\frac{5}{12}$	x	2	=	

Wednesday

1.	$(10^2 - 6)$	x	(7×2)	=	
2.	$(7^2 - 1 \times 9)$	÷	5	=	
3.	$\frac{5}{6}$	of	4,200	=	
4.	17%	of	370	=	
5.	24%	of	240	=	
6.	$2\frac{4}{9}$	−	$\frac{8}{9}$	=	
7.	630	÷	15	=	
8.	1,716	÷	4	=	
9.	584	x	8	=	
10.	$\frac{1}{9}$	x	7	=	

Thursday

1.	$(9^2 - 6)$	x	(3×2)	=	
2.	$(7^2 - 8 \times 5)$	÷	3	=	
3.	$\frac{7}{9}$	of	6,300	=	
4.	18%	of	210	=	
5.	26%	of	930	=	
6.	$3\frac{4}{5}$	−	$1\frac{9}{10}$	=	
7.	560	÷	16	=	
8.	2,268	÷	6	=	
9.	473	x	8	=	
10.	$\frac{2}{14}$	x	6	=	

Friday

1.	$(6^2 - 3)$	x	(3×3)	=	
2.	$(7^2 - 2 \times 5)$	÷	3	=	
3.	$\frac{7}{10}$	of	4,000	=	
4.	19%	of	510	=	
5.	32%	of	670	=	
6.	$2\frac{4}{6}$	−	$1\frac{1}{3}$	=	
7.	714	÷	17	=	
8.	4,131	÷	9	=	
9.	537	x	7	=	
10.	$\frac{2}{10}$	x	4	=	

Ninja challenge

Cho **counts back** 90,000 from 760,002. What number does Cho count back to?

WEEK 27

Monday

1.	1.5	–	0.9	=	
2.	40,000	–	6,000	=	
3.	$\frac{6}{10}$	÷	3	=	
4.	$\frac{3}{5}$	÷	3	=	
5.	0.6	÷	3	=	
6.	$\frac{3}{5}$	÷	1.5	=	
7.	$6\frac{1}{2}$	÷	2	=	
8.	6.5	÷	2	=	
9.	6.5	÷	0.2	=	
10.	65	÷	0.2	=	

Tuesday

1.	$2\frac{1}{2}$	x	$\frac{1}{2}$	=	
2.	2.5	x	0.5	=	
3.	25	x	$\frac{1}{2}$	=	
4.	25	x	0.5	=	
5.	$2\frac{1}{2}$	÷	$\frac{1}{2}$	=	
6.	2.5	÷	0.5	=	
7.	25	÷	0.5	=	
8.	25	÷	$\frac{1}{4}$	=	
9.	25	÷	0.25	=	
10.	25	÷	2.5	=	

Wednesday

1.	400	x	25	=	
2.	0.4	x	25	=	
3.	0.8	x	25	=	
4.	0.8	x	$2\frac{1}{2}$	=	
5.	$\frac{8}{10}$	x	2.5	=	
6.	$\sqrt{49}$	x	10	=	
7.	$\sqrt{49}$	÷	10	=	
8.	$\sqrt{49}$	x	0.1	=	
9.	$\sqrt{49}$	x	0.2	=	
10.	$\sqrt{49}$	÷	0.1	=	

Thursday

1.	6	x	99	=	
2.	8	x	99	=	
3.	80	x	99	=	
4.	80 squared	x	10	=	
5.	80 squared	÷	10	=	
6.	3	x 3	x 3	=	
7.	3	x	3 squared	=	
8.	$\sqrt{9}$	x	10	=	
9.	$\sqrt{9}$	x	100	=	
10.	$\sqrt{9}$	x	0.1	=	

Friday

1.	10%	of	4	=	
2.	20%	of	4	=	
3.	30%	of	4	=	
4.	60%	of	4	=	
5.	15%	of	40	=	
6.	150%	of	40	=	
7.	$\frac{3}{6}$	x	$\frac{1}{2}$	=	
8.	$\frac{3}{6}$	x	0.5	=	
9.	$\frac{1}{2}$	x	0.5	=	
10.	0.5	÷	$\frac{1}{2}$	=	

Ninja challenge

Sam says that 20 **minus** 14.48 is **equal** to 7.32. Is Sam correct? Explain why.

Arithmetic Ninja 10–11 © Andrew Jennings, 2022

Monday

1.	126	=	90%	of	
2.	147	=	70%	of	
3.	256	=	80%	of	
4.	2.3	=	1%	of	
5.		=	5%	of	460
6.		=	6%	of	190
7.	$\frac{5}{6}$	of	420	=	
8.		=	$\frac{8}{12}$	of	10,800
9.	$\frac{3}{5}$	of	45,000	=	
10.		=	$\frac{6}{7}$	of	630,000

Tuesday

1.	216	=	90%	of	
2.	434	=	70%	of	
3.	368	=	80%	of	
4.	1.9	=	1%	of	
5.		=	5%	of	460
6.		=	6%	of	190
7.	$\frac{4}{6}$	of	240	=	
8.		=	$\frac{8}{9}$	of	6,300
9.	$\frac{2}{5}$	of	10,000	=	
10.		=	$\frac{6}{8}$	of	640,000

Wednesday

1.	108	=	90%	of	
2.	42	=	70%	of	
3.	64	=	80%	of	
4.	4.2	=	1%	of	
5.		=	5%	of	560
6.		=	6%	of	590
7.	$\frac{2}{3}$	of	270	=	
8.		=	$\frac{5}{7}$	of	2,800
9.	$\frac{4}{6}$	of	54,000	=	
10.		=	$\frac{4}{7}$	of	350,000

Thursday

1.	153	=	90%	of	
2.	84	=	70%	of	
3.	120	=	80%	of	
4.	2.5	=	1%	of	
5.		=	5%	of	720
6.		=	6%	of	140
7.	$\frac{2}{9}$	of	270	=	
8.		=	$\frac{5}{8}$	of	1,600
9.	$\frac{4}{7}$	of	14,000	=	
10.		=	$\frac{4}{6}$	of	720,000

Friday

1.	234	=	90%	of	
2.	406	=	70%	of	
3.	232	=	80%	of	
4.	1.7	=	1%	of	
5.		=	5%	of	240
6.		=	6%	of	510
7.	$\frac{6}{9}$	of	450	=	
8.		=	$\frac{6}{8}$	of	4,800
9.	$\frac{4}{9}$	of	63,000	=	
10.		=	$\frac{4}{5}$	of	600,000

Ninja challenge

The answer to the question is 101. To get to the answer, Sam **halved** a number, then **divided it by** 5 and then **added 79**. What number did Sam start with?

WEEK 28

	Monday				
1.	$\frac{3}{5}$	of	4,500	=	
2.	20%	of	450	=	
3.	60%	of	260	=	
4.	90%	of	570	=	
5.	448	÷	14	=	
6.	1,590	÷	6	=	
7.	209	x	5	=	
8.	$\frac{3}{7}$	x	2	=	
9.	$\frac{3}{7}$	÷	2	=	
10.	$\frac{3}{7}$	x	$\frac{1}{2}$	=	

	Tuesday				
1.	$\frac{3}{8}$	of	4,800	=	
2.	20%	of	620	=	
3.	60%	of	190	=	
4.	90%	of	450	=	
5.	682	÷	22	=	
6.	1,836	÷	6	=	
7.	235	x	6	=	
8.	$\frac{3}{10}$	x	3	=	
9.	$\frac{1}{9}$	÷	2	=	
10.	$\frac{4}{5}$	x	$\frac{1}{5}$	=	

	Wednesday				
1.	$\frac{7}{9}$	of	1,800	=	
2.	20%	of	980	=	
3.	60%	of	60	=	
4.	90%	of	570	=	
5.	759	÷	23	=	
6.	2,877	÷	7	=	
7.	1,431	x	7	=	
8.	$\frac{2}{5}$	x	2	=	
9.	$\frac{3}{4}$	÷	2	=	
10.	$\frac{4}{6}$	x	$\frac{4}{5}$	=	

	Thursday				
1.	$\frac{7}{8}$	of	2,400	=	
2.	20%	of	810	=	
3.	60%	of	110	=	
4.	90%	of	490	=	
5.	840	÷	24	=	
6.	3,378	÷	6	=	
7.	956	x	7	=	
8.	$\frac{2}{12}$	x	5	=	
9.	$\frac{3}{5}$	÷	6	=	
10.	$\frac{2}{7}$	x	$\frac{4}{5}$	=	

	Friday				
1.	$\frac{7}{11}$	of	4,400	=	
2.	20%	of	220	=	
3.	60%	of	710	=	
4.	90%	of	90	=	
5.	1,092	÷	26	=	
6.	3,618	÷	9	=	
7.	818	x	9	=	
8.	$\frac{1}{12}$	x	9	=	
9.	$\frac{3}{6}$	÷	6	=	
10.	$\frac{5}{9}$	x	$\frac{4}{5}$	=	

Ninja challenge

Tom totals 90 **groups of** 40. Sam totals 60 **groups of** 60. Sam says that his total is greater than Tom's. Is Sam correct? Explain why.

Arithmetic Ninja 10–11 © Andrew Jennings, 2022

WEEK 28

Monday

1.	5.5	−	0.9	=	
2.	90,000	−	7,000	=	
3.	$\frac{5}{10}$	÷	3	=	
4.	$\frac{15}{30}$	÷	3	=	
5.	0.9	÷	3	=	
6.	0.9	÷	1.5	=	
7.	$8\frac{1}{2}$	÷	2	=	
8.	8.5	÷	2	=	
9.	8.5	÷	0.2	=	
10.	85	÷	0.2	=	

Tuesday

1.	9	x	$\frac{1}{2}$	=	
2.	$4\frac{1}{2}$	x	$\frac{1}{2}$	=	
3.	4.5	x	0.5	=	
4.	45	x	0.5	=	
5.	$4\frac{1}{2}$	÷	$\frac{1}{2}$	=	
6.	4.5	÷	0.5	=	
7.	45	÷	0.5	=	
8.	45	÷	$\frac{1}{4}$	=	
9.	45	÷	0.25	=	
10.	45	÷	2.5	=	

Wednesday

1.	800	x	25	=	
2.	4	x	75	=	
3.	8	x	75	=	
4.	8	x	7.5	=	
5.	8	x	0.75	=	
6.	8	x	$\frac{3}{4}$	=	
7.	600	÷	75	=	
8.	60	÷	7.5	=	
9.	60	÷	0.75	=	
10.	60	÷	$\frac{3}{4}$	=	

Thursday

1.	9	x	99	=	
2.	0.9	x	99	=	
3.	90	x	99	=	
4.	90 squared	x	10	=	
5.	90 squared	÷	10	=	
6.	4	x 4	x 4	=	
7.	4	x	4 squared	=	
8.	$\sqrt{64}$	x	10	=	
9.	$\sqrt{64}$	x	100	=	
10.	$\sqrt{64}$	x	0.1	=	

Friday

1.	10%	of	12	=	
2.	20%	of	12	=	
3.	30%	of	12	=	
4.	60%	of	12	=	
5.	15%	of	120	=	
6.	150%	of	120	=	
7.	$\frac{1}{4}$	x	$\frac{1}{2}$	=	
8.	$\frac{1}{4}$	x	0.5	=	
9.	0.25	x	0.5	=	
10.	0.5	÷	$\frac{1}{4}$	=	

Ninja challenge

Iko states that 80% of 4,520 is 3,600. Is Iko correct?

WEEK 28

Monday

1.	0.45	x	1,000	=		
2.	100	x	1.26	=		
3.		=	2.6	÷	10	
4.	340,000	÷	100	=		
5.	1,340	x	10	=		
6.		=	101,000	÷	10	
7.	10,301	÷	1,000	=		
8.	0.56	x	1,000	=		
9.		=	7.67	x	100	
10.		=	106	÷	1,000	

Tuesday

1.	0.16	x	1,000	=		
2.	100	x	1.98	=		
3.		=	3.9	÷	10	
4.	270,000	÷	100	=		
5.	2,190	x	10	=		
6.		=	111,110	÷	10	
7.	10,820	÷	1,000	=		
8.	0.96	x	1,000	=		
9.		=	5.91	x	100	
10.		=	145	÷	1,000	

Wednesday

1.	0.57	x	1,000	=		
2.	100	x	2.18	=		
3.		=	4.5	÷	10	
4.	360,000	÷	100	=		
5.	1,450	x	10	=		
6.		=	111,000	÷	10	
7.	11,374	÷	1,000	=		
8.	349	x	1,000	=		
9.		=	7.41	x	100	
10.		=	206	÷	1,000	

Thursday

1.	0.61	x	1,000	=		
2.	100	x	4.17	=		
3.		=	7.7	÷	10	
4.	940,000	÷	100	=		
5.	3,410	x	10	=		
6.		=	120,120	÷	10	
7.	14,372	÷	1,000	=		
8.	518	x	1,000	=		
9.		=	13.34	x	100	
10.		=	315	÷	1,000	

Friday

1.	0.85	x	1,000	=		
2.	100	x	9.19	=		
3.		=	6.1	÷	10	
4.	670,000	÷	100	=		
5.	8,530	x	10	=		
6.		=	150,340	÷	10	
7.	23,940	÷	1,000	=		
8.	609	x	1,000	=		
9.		=	17.05	x	100	
10.		=	509	÷	1,000	

Ninja challenge

Iko states that 67% of 4,300 is 2,818. Is Iko correct?

Monday

1.	$\frac{7}{8}$	of	320	equals
2.	30%	of	70	=
3.	70%	of	60	=
4.	40%	of	40	=
5.	1,026	divided by	38	equals
6.	1,832	shared by	8	=
7.	243	groups of	26	=
8.	$\frac{2}{16}$	multiplied by	7	equals
9.	$\frac{4}{9}$	divided by	6	=
10.	$\frac{5}{6}$	times	$\frac{4}{5}$	equals

Tuesday

1.	$\frac{4}{5}$	of	450	equals
2.	30%	of	90	=
3.	70%	of	120	=
4.	40%	of	140	=
5.	1,248	divided by	39	equals
6.	1,370	shared by	5	=
7.	194	groups of	19	=
8.	$\frac{2}{20}$	multiplied by	9	equals
9.	$\frac{9}{12}$	divided by	3	=
10.	$\frac{1}{5}$	times	$\frac{4}{5}$	equals

Wednesday

1.	$\frac{2}{5}$	of	600	equals
2.	30%	of	140	=
3.	70%	of	180	=
4.	40%	of	210	=
5.	1,792	divided by	32	equals
6.	2,233	shared by	7	=
7.	222	groups of	22	=
8.	$\frac{9}{20}$	multiplied by	2	equals
9.	$\frac{1}{5}$	divided by	3	=
10.	$\frac{2}{3}$	times	$\frac{4}{5}$	equals

Thursday

1.	$\frac{2}{6}$	of	300	equals
2.	30%	of	170	=
3.	70%	of	240	=
4.	40%	of	370	=
5.	1,638	divided by	39	equals
6.	2,139	shared by	3	=
7.	185	groups of	45	=
8.	$\frac{3}{14}$	multiplied by	4	equals
9.	$\frac{1}{6}$	divided by	4	=
10.	$\frac{2}{7}$	times	$\frac{2}{5}$	equals

Friday

1.	$\frac{2}{9}$	of	720	equals
2.	30%	of	290	=
3.	70%	of	350	=
4.	40%	of	460	=
5.	1,786	divided by	47	equals
6.	3,528	shared by	4	=
7.	215	groups of	28	=
8.	$\frac{3}{11}$	multiplied by	3	equals
9.	$\frac{4}{7}$	divided by	4	=
10.	$\frac{5}{9}$	times	$\frac{2}{5}$	equals

Ninja challenge

Cho **counts back** 50,000 from 210,283.
What number does Cho count back to?

WEEK 29

Monday

1.	84	–	19	=	
2.	8.4	–	1.9	=	
3.	$\frac{1}{2}$	÷	2	=	
4.	0.5	÷	2	=	
5.	0.5	÷	0.2	=	
6.	0.5	÷	$\frac{2}{10}$	=	
7.	$\frac{1}{2}$	÷	$\frac{2}{10}$	=	
8.	$\frac{1}{4}$	÷	2	=	
9.	0.25	÷	2	=	
10.	0.25	÷	0.2	=	

Tuesday

1.	6	x	$\frac{1}{2}$	=	
2.	$6\frac{1}{2}$	x	$\frac{1}{2}$	=	
3.	6.5	x	0.5	=	
4.	65	x	0.5	=	
5.	$6\frac{1}{2}$	÷	$\frac{1}{2}$	=	
6.	6.5	÷	0.5	=	
7.	65	÷	0.5	=	
8.	65	÷	$\frac{1}{4}$	=	
9.	65	÷	0.25	=	
10.	65	÷	2.5	=	

Wednesday

1.	8	x	75	=	
2.	4	x	75	=	
3.	12	x	75	=	
4.	12	x	7.5	=	
5.	12	x	0.75	=	
6.	12	x	$\frac{3}{4}$	=	
7.	900	÷	75	=	
8.	90	÷	7.5	=	
9.	90	÷	0.75	=	
10.	90	÷	$\frac{3}{4}$	=	

Thursday

1.	12	x	9	=	
2.	24	x	9	=	
3.	48	x	9	=	
4.	100 squared	x	10	=	
5.	100 squared	÷	10	=	
6.	7	x	49	=	
7.	7	x	7 squared	=	
8.	$\sqrt{49}$	x	10	=	
9.	$\sqrt{49}$	x	100	=	
10.	$\sqrt{49}$	x	0.1	=	

Friday

1.	10%	of	3.5	=	
2.	20%	of	3.5	=	
3.	30%	of	35	=	
4.	60%	of	35	=	
5.	15%	of	140	=	
6.	150%	of	140	=	
7.	$\frac{3}{4}$	x	$\frac{1}{2}$	=	
8.	$\frac{3}{4}$	x	0.5	=	
9.	0.75	x	0.5	=	
10.	0.75	÷	$\frac{1}{4}$	=	

Ninja challenge

Iko says that **one quarter** of 24,000 is **equal** to 3,000 x 3. Is Iko correct? Explain why.

Monday

1.		x	1,000	=	850
2.	100	x		=	919
3.	0.61	=		÷	10
4.		÷	100	=	6,700
5.		x	10	=	85,300
6.	15,034	=		÷	10
7.		÷	1,000	=	23.94
8.		x	1,000	=	609,000
9.	1,705	=		x	100
10.	0.509	=		÷	1,000

Tuesday

1.		x	1,000	=	610
2.	100	x		=	893
3.	0.89	=		÷	10
4.		÷	100	=	5,100
5.		x	10	=	85,500
6.	24,047	=		÷	10
7.		÷	1,000	=	34.38
8.		x	1,000	=	773,000
9.	2,108	=		x	100
10.	0.662	=		÷	1,000

Wednesday

1.		x	1,000	=	890
2.	100	x		=	167
3.	0.65	=		÷	10
4.		÷	100	=	4,600
5.		x	10	=	67,100
6.	31,024	=		÷	10
7.		÷	1,000	=	47.53
8.		x	1,000	=	916,000
9.	3,371	=		x	100
10.	0.192	=		÷	1,000

Thursday

1.		x	1,000	=	160
2.	100	x		=	431
3.	0.91	=		÷	10
4.		÷	100	=	6,300
5.		x	10	=	19,400
6.	83,032	=		÷	10
7.		÷	1,000	=	56.38
8.		x	1,000	=	117,000
9.	2,905	=		x	100
10.	0.359	=		÷	1,000

Friday

1.		x	1,000	=	690
2.	100	x		=	105
3.	0.61	=		÷	10
4.		÷	100	=	9,900
5.		x	10	=	45,600
6.	76,031	=		÷	10
7.		÷	1,000	=	67.48
8.		x	1,000	=	219,000
9.	6,921	=		x	100
10.	0.805	=		÷	1,000

Ninja challenge

Iko states that 34% of 370 is 145.3. Is Iko correct?

WEEK 30

Monday

1.	$\frac{2}{9}$	of	72	equals	
2.	35%	of	280	=	
3.	75%	of	360	is equal to	
4.	45%	of	440	=	
5.	2,835	divided by	63	equals	
6.	3,984	shared by	6	=	
7.	324	groups of	19	=	
8.	$\frac{3}{14}$	multiplied by	2	equals	
9.	$\frac{4}{5}$	divided by	4	=	
10.	$\frac{1}{2}$	times	$\frac{2}{5}$	equals	

Tuesday

1.	$\frac{6}{7}$	of	56	equals	
2.	35%	of	220	=	
3.	75%	of	480	is equal to	
4.	45%	of	600	=	
5.	2,173	divided by	53	equals	
6.	5,194	shared by	7	=	
7.	418	groups of	23	=	
8.	$\frac{3}{10}$	multiplied by	2	equals	
9.	$\frac{4}{10}$	divided by	4	=	
10.	$\frac{1}{10}$	times	$\frac{2}{5}$	equals	

Wednesday

1.	$\frac{6}{12}$	of	132	equals	
2.	35%	of	480	=	
3.	75%	of	820	is equal to	
4.	45%	of	680	=	
5.	1,943	divided by	29	equals	
6.	1,098	shared by	6	=	
7.	361	groups of	41	=	
8.	$\frac{3}{15}$	multiplied by	4	equals	
9.	$\frac{8}{9}$	divided by	2	=	
10.	$\frac{9}{10}$	times	$\frac{2}{3}$	equals	

Thursday

1.	$\frac{6}{9}$	of	54	equals	
2.	35%	of	380	=	
3.	75%	of	820	is equal to	
4.	45%	of	940	=	
5.	2,232	divided by	31	equals	
6.	3,339	shared by	9	=	
7.	251	groups of	56	=	
8.	$\frac{3}{11}$	multiplied by	3	equals	
9.	$\frac{4}{5}$	divided by	2	=	
10.	$\frac{9}{15}$	times	$\frac{1}{2}$	equals	

Friday

1.	$\frac{2}{8}$	of	24	equals	
2.	35%	of	940	=	
3.	75%	of	1,200	is equal to	
4.	45%	of	1,700	=	
5.	4,745	divided by	65	equals	
6.	6,656	shared by	8	=	
7.	319	groups of	63	=	
8.	$\frac{3}{11}$	multiplied by	2	equals	
9.	$\frac{4}{6}$	divided by	2	=	
10.	$\frac{2}{3}$	times	$\frac{1}{2}$	equals	

Ninja challenge

Tom **shares** 4,200 by 10. Sam **shares** 6,000 by 10. Iko **shares** 3,100 by 10. They **agree** that all their answers are less than 500. Are they correct? Explain why.

Arithmetic Ninja 10–11 © Andrew Jennings, 2022

Monday

1.	98	−	29	=
2.	9.8	−	2.9	=
3.	$\frac{1}{2}$	÷	4	=
4.	0.5	÷	4	=
5.	0.5	÷	0.4	=
6.	0.5	÷	$\frac{4}{10}$	=
7.	$\frac{1}{2}$	÷	$\frac{2}{5}$	=
8.	$\frac{1}{4}$	÷	4	=
9.	0.25	÷	4	=
10.	1.25	÷	10	=

Tuesday

1.	45	x	$\frac{1}{2}$	=
2.	450	x	$\frac{1}{2}$	=
3.	4.5	x	0.5	=
4.	45	x	0.5	=
5.	45	÷	$\frac{1}{2}$	=
6.	4.5	÷	0.5	=
7.	45	÷	0.5	=
8.	45	÷	$\frac{1}{4}$	=
9.	45	÷	0.25	=
10.	45	÷	2.5	=

Wednesday

1.	4	x	75	=
2.	16	x	75	=
3.	32	x	75	=
4.	32	x	7.5	=
5.	32	x	0.75	=
6.	32	x	$\frac{3}{4}$	=
7.	$\frac{3}{4}$	of	32	=
8.	$\frac{3}{4}$	of	3.2	=
9.	$\frac{3}{4}$	of	6.4	=
10.	$\frac{3}{4}$	of	64	=

Thursday

1.	81	x	9	=
2.	8.1	x	9	=
3.	162	x	9	=
4.	162	x	18	=
5.	2,916	÷	18	=
6.	8	x	64	=
7.	8	x	8 squared	=
8.	√64	x	10	=
9.	√64	x	100	=
10.	√64	x	0.1	=

Friday

1.	10%	of	75	=
2.	20%	of	75	=
3.	30%	of	75	=
4.	60%	of	75	=
5.	15%	of	150	=
6.	30%	of	150	=
7.	$\frac{3}{4}$	x	$\frac{1}{5}$	=
8.	$\frac{3}{4}$	x	0.2	=
9.	0.75	x	0.2	=
10.	$\frac{3}{4}$	x	2	=

Ninja challenge

Tom **multiplies** 452 by 32. What answer does Tom get?

WEEK 30

Monday

1.		+	54,345	=	55,748
2.	7.43	+		=	10.99
3.		=	9	−	6.67
4.	16	−	6.483	=	
5.		x	10	=	5.6
6.	56,043	=		÷	10
7.		÷	1,000	=	0.506
8.	$\frac{4}{5}$	x	$\frac{1}{2}$	=	
9.		=	$\frac{3}{9}$	x	2
10.		=	$\frac{3}{9}$	÷	3

Tuesday

1.		+	34,773	=	58,178
2.	9.49	+		=	11.64
3.		=	8	−	7.94
4.	13	−	5.402	=	
5.		x	10	=	1.7
6.	60,122	=		÷	10
7.		÷	1,000	=	0.617
8.	$\frac{3}{5}$	x	$\frac{2}{3}$	=	
9.		=	$\frac{2}{7}$	x	2
10.		=	$\frac{1}{5}$	÷	5

Wednesday

1.		+	17,284	=	37,650
2.	8.17	+		=	12.02
3.		=	9	−	1.52
4.	18	−	9.341	=	
5.		x	10	=	6.3
6.	73,029	=		÷	10
7.		÷	1,000	=	0.775
8.	$\frac{4}{5}$	x	$\frac{5}{6}$	=	
9.		=	$\frac{2}{5}$	x	2
10.		=	$\frac{4}{5}$	÷	2

Thursday

1.		+	19,205	=	40,489
2.	11.41	+		=	16.9
3.		=	12	−	6.79
4.	13	−	7.105	=	
5.		x	10	=	1.7
6.	56,036	=		÷	10
7.		÷	1,000	=	0.809
8.	$\frac{3}{6}$	x	$\frac{5}{6}$	=	
9.		=	$\frac{3}{10}$	x	3
10.		=	$\frac{9}{10}$	÷	2

Friday

1.		+	25,933	=	65,027
2.	14.38	+		=	16.24
3.		=	15	−	9.54
4.	17	−	8.405	=	
5.		x	10	=	8.1
6.	71,449	=		÷	10
7.		÷	1,000	=	0.945
8.	$\frac{2}{3}$	x	$\frac{5}{6}$	=	
9.		=	$\frac{5}{20}$	x	3
10.		=	$\frac{3}{5}$	÷	5

Ninja challenge

What number does Cho **multiply** 0.3 by to get an answer of 2,700?

WEEK 31

Monday

1.	100,000	−	34,400	=	
2.	10,000	−	1,471	=	
3.	55%	of	2,400	=	
4.	85%	of	3,200	is equal to	
5.	65%	of	1,700	=	
6.	544	÷	32	equals	
7.	67	x	63	=	
8.	4,360	÷	100	=	
9.	324	x	10	=	
10.	$\frac{2}{5}$	x	$\frac{1}{4}$	equals	

Tuesday

1.	100,000	−	25,370	=	
2.	10,000	−	4,510	=	
3.	55%	of	3,400	=	
4.	85%	of	4,200	is equal to	
5.	65%	of	2,800	=	
6.	1,400	÷	25	equals	
7.	52	x	46	=	
8.	5,190	÷	100	=	
9.	417	x	10	=	
10.	$\frac{2}{6}$	x	$\frac{1}{5}$	equals	

Wednesday

1.	100,000	−	16,380	=	
2.	10,000	−	4,190	=	
3.	55%	of	4,400	=	
4.	85%	of	6,400	is equal to	
5.	65%	of	3,000	=	
6.	1,316	÷	28	equals	
7.	53	x	42	=	
8.	6,780	÷	100	=	
9.	523	x	10	=	
10.	$\frac{2}{10}$	x	$\frac{5}{6}$	equals	

Thursday

1.	100,000	−	67,580	=	
2.	10,000	−	5,720	=	
3.	55%	of	520	=	
4.	85%	of	960	is equal to	
5.	65%	of	420	=	
6.	1,980	÷	36	equals	
7.	62	x	38	=	
8.	9,140	÷	100	=	
9.	114	x	10	=	
10.	$\frac{5}{7}$	x	$\frac{3}{4}$	equals	

Friday

1.	100,000	−	81,910	=	
2.	10,000	−	9,001	=	
3.	55%	of	680	=	
4.	85%	of	720	is equal to	
5.	65%	of	940	=	
6.	1,833	÷	47	equals	
7.	74	x	46	=	
8.	8,340	÷	100	=	
9.	705	x	10	=	
10.	$\frac{5}{6}$	x	$\frac{2}{3}$	equals	

Ninja challenge

Tom states that 62% of 700 is 443. Is Tom correct?

WEEK 31

Monday

1.	250	x	250	=	
2.	250	x	125	=	
3.	25	x	125	=	
4.	62,500	÷	250	=	
5.	62,500	÷	500	=	
6.	62,500	÷	125	=	
7.	$\frac{3}{4}$	÷	3	=	
8.	$\frac{6}{4}$	÷	3	=	
9.	$1\frac{1}{2}$	÷	3	=	
10.	1.5	÷	3	=	

Tuesday

1.	60	x	$\frac{1}{4}$	=	
2.	600	x	$\frac{1}{4}$	=	
3.	$\frac{1}{4}$	of	60	=	
4.	$\frac{1}{4}$	of	600	=	
5.	60	÷	$\frac{1}{4}$	=	
6.	60	÷	0.25	=	
7.	6	÷	0.25	=	
8.	6	÷	$\frac{1}{4}$	=	
9.	12	÷	0.25	=	
10.	12	÷	2.5	=	

Wednesday

1.	64	x	75	=	
2.	64	x	7.5	=	
3.	64	x	0.75	=	
4.	64	x	$\frac{3}{4}$	=	
5.	$\frac{3}{4}$	of	64	=	
6.	$\frac{6}{8}$	of	64	=	
7.	$\frac{3}{4}$	of	640	=	
8.	$\frac{3}{4}$	of	128	=	
9.	$\frac{3}{4}$	of	12.8	=	
10.	0.75	of	128	=	

Thursday

1.	49	x	7	=	
2.	4.9	x	7	=	
3.	98	x	7	=	
4.	9.8	x	7	=	
5.	49	x	14	=	
6.	4.9	x	140	=	
7.	12 x 12	x	10 squared	=	
8.	13	x	13	=	
9.	14	x	14	=	
10.	15	x	15	=	

Friday

1.	10%	of	5	=	
2.	20%	of	5	=	
3.	30%	of	5	=	
4.	60%	of	5	=	
5.	30%	of	50	=	
6.	30%	of	5	=	
7.	30%	of	0.5	=	
8.	30%	of	$\frac{1}{2}$	=	
9.	1%	of	30	=	
10.	$\frac{1}{2}$%	of	30	=	

Ninja challenge

Sam tells Tom that that 2,700 is equal to $\frac{3}{5}$ of 4,500. Is Sam correct? Explain why.

Arithmetic Ninja 10–11 © Andrew Jennings, 2022

Monday

1.	504,394	+	289,321	=	
2.	45.3	+	4.38	=	
3.	11.39	=	16	−	
4.	20	−	8.199	=	
5.		x	1,000	=	810
6.		=	5	x	623
7.		=	1,410	÷	6
8.	$\frac{1}{20}$	x	$\frac{3}{6}$	=	
9.		=	$\frac{2}{14}$	x	6
10.		=	$\frac{5}{6}$	÷	2

Tuesday

1.	301,274	+	206,336	=	
2.	61.3	+	9.42	=	
3.	0.83	=	6	−	
4.	30	−	11.384	=	
5.		x	1,000	=	1,090
6.		=	7	x	426
7.		=	1,384	÷	8
8.	$\frac{1}{5}$	x	$\frac{3}{4}$	=	
9.		=	$\frac{1}{13}$	x	6
10.		=	$\frac{2}{4}$	÷	2

Wednesday

1.	417,271	+	311,481	=	
2.	58.2	+	11.45	=	
3.	3.19	=	8	−	
4.	40	−	12.734	=	
5.		x	1,000	=	2,170
6.		=	8	x	384
7.		=	1,752	÷	8
8.	$\frac{2}{6}$	x	$\frac{3}{4}$	=	
9.		=	$\frac{3}{13}$	x	4
10.		=	$\frac{2}{3}$	÷	2

Thursday

1.	609,319	+	217,182	=	
2.	78.2	+	12.75	=	
3.	2.33	=	9	−	
4.	50	−	13.218	=	
5.		x	1,000	=	3,190
6.		=	9	x	405
7.		=	3,258	÷	9
8.	$\frac{3}{7}$	x	$\frac{3}{4}$	=	
9.		=	$\frac{1}{13}$	x	9
10.		=	$\frac{2}{5}$	÷	5

Friday

1.	703,271	+	193,251	=	
2.	93.2	+	13.27	=	
3.	3.92	=	13	−	
4.	40	−	21.204	=	
5.		x	1,000	=	7,160
6.		=	9	x	517
7.		=	3,771	÷	9
8.	$\frac{4}{5}$	x	$\frac{3}{4}$	=	
9.		=	$\frac{2}{15}$	x	4
10.		=	$\frac{2}{4}$	÷	3

Ninja challenge

Iko tells Sam that 48,000 is equal to $\frac{6}{7}$ of 56,000. Is Iko correct? Explain why.

WEEK 32

Monday

1.	84,382	–	43,281	=	
2.	54,315	+	8,473	=	
3.	10%	of	645	=	
4.	2^2	+	3^2	is equal to	
5.	400	x	6	=	
6.	54,000	÷	9	equals	
7.	4.32	x	5	=	
8.	101	÷	1,000	=	
9.	0.4	x	10	=	
10.	$\frac{5}{6}$	÷	3	equals	

Tuesday

1.	196,381	–	16,305	=	
2.	83,803	+	14,372	=	
3.	10%	of	56	=	
4.	2^2	+	5^2	is equal to	
5.	400	x	9	=	
6.	27,000	÷	3	equals	
7.	12.43	x	4	=	
8.	114	÷	100	=	
9.	0.06	x	10	=	
10.	$\frac{5}{9}$	÷	3	equals	

Wednesday

1.	205,371	–	98,809	=	
2.	114,455	+	87,456	=	
3.	10%	of	105	=	
4.	3^2	+	5^2	is equal to	
5.	600	x	9	=	
6.	35,000	÷	7	equals	
7.	32.46	x	3	=	
8.	15	÷	10	=	
9.	11.4	x	10	=	
10.	$\frac{3}{7}$	÷	5	equals	

Thursday

1.	17,303	–	8,959	=	
2.	99,005	+	10,744	=	
3.	10%	of	290	=	
4.	4^2	+	5^2	is equal to	
5.	900	x	9	=	
6.	48,000	÷	6	equals	
7.	19.05	x	6	=	
8.	156	÷	10	=	
9.	204	x	10	=	
10.	$\frac{1}{7}$	÷	2	equals	

Friday

1.	19,809	–	9,704	=	
2.	87,317	+	11,418	=	
3.	10%	of	3,200	=	
4.	5^2	+	5^2	is equal to	
5.	700	x	8	=	
6.	49,000	÷	7	equals	
7.	20.01	x	5	=	
8.	1,001	÷	10	=	
9.	20.5	x	10	=	
10.	$\frac{2}{3}$	÷	2	equals	

Ninja challenge

Sam **divides** 36 by 9 and gets the answer of 4. If Sam **divides** 360,000 by 9, what answer will he get?

Arithmetic Ninja 10–11 © Andrew Jennings, 2022

WEEK 32

Monday

1.	6.9	x	2	=	
2.	9	–	1.25	=	
3.	$\frac{9}{12}$	of	288	=	
4.	$\frac{9}{12}$	of	28.8	=	
5.	$\frac{3}{4}$	of	288	=	
6.	288	x	$\frac{3}{4}$	=	
7.	288	x	0.75	=	
8.	$\frac{9}{5}$	÷	3	=	
9.	1.8	÷	3	=	
10.	$1\frac{4}{5}$	÷	3	=	

Tuesday

1.	80	x	$\frac{1}{4}$	=	
2.	800	x	$\frac{1}{4}$	=	
3.	$\frac{1}{4}$	of	80	=	
4.	$\frac{1}{4}$	of	800	=	
5.	80	÷	$\frac{1}{4}$	=	
6.	80	÷	0.25	=	
7.	8	÷	0.25	=	
8.	8	÷	$\frac{1}{4}$	=	
9.	16	÷	0.25	=	
10.	16	÷	2.5	=	

Wednesday

1.	$\frac{3}{4}$	x	$\frac{1}{2}$	=	
2.	$\frac{3}{4}$	x	0.5	=	
3.	0.75	x	0.5	=	
4.	7.5	x	$\frac{1}{2}$	=	
5.	$\frac{2}{10}$	of	70	=	
6.	$\frac{1}{5}$	of	70	=	
7.	0.2	x	70	=	
8.	$\frac{1}{5}$	of	140	=	
9.	$\frac{4}{20}$	of	140	=	
10.	$\frac{20}{100}$	of	140	=	

Thursday

1.	$\frac{3}{4}$	–	$\frac{2}{8}$	=	
2.	$1\frac{3}{4}$	–	$\frac{4}{16}$	=	
3.	1.75	–	$\frac{1}{4}$	=	
4.	1.75	–	$\frac{1}{2}$	=	
5.	$2\frac{3}{4}$	–	$1\frac{1}{2}$	=	
6.	2.75	–	1.5	=	
7.	30	x	30	=	
8.	40	x	40	=	
9.	140	x	14	=	
10.	150	x	15	=	

Friday

1.	10%	of	10	=	
2.	20%	of	10	=	
3.	30%	of	10	=	
4.	60%	of	10	=	
5.	10	x	60%	=	
6.	10	x	$\frac{6}{10}$	=	
7.	10	x	$\frac{3}{5}$	=	
8.	10	x	0.6	=	
9.	$\frac{6}{10}$	of	10	=	
10.	1%	of	10	=	

Ninja challenge

Sam **shares** 360,000 **equally** into 6 **groups**. What will each group be equal to?

WEEK 32

Monday

1.	498,381	subtract	300,382	=	
2.	50.18	plus	33.4	equals	
3.		x	100	=	1,060
4.		=	6	times	705
5.		=	3,626	÷	7
6.	51	multiplied by	67	=	
7.		=	1,820	÷	65
8.		=	$1\frac{3}{8}$	add	$1\frac{3}{4}$
9.	$3\frac{1}{5}$	subtract	$1\frac{7}{10}$	=	
10.		=	$3\frac{1}{4}$	x	2

Tuesday

1.	673,271	subtract	193,251	=	
2.	87.34	plus	17.5	equals	
3.		x	100	=	1,530
4.		=	8	times	451
5.		=	2,604	÷	7
6.	54	multiplied by	36	=	
7.		=	864	÷	24
8.		=	$2\frac{1}{5}$	add	$1\frac{2}{3}$
9.	$2\frac{3}{4}$	subtract	$1\frac{1}{3}$	=	
10.		=	$1\frac{1}{5}$	x	3

Wednesday

1.	506,377	subtract	239,102	=	
2.	73.23	plus	24.5	equals	
3.		x	100	=	2,370
4.		=	4	times	673
5.		=	2,898	÷	6
6.	47	multiplied by	54	=	
7.		=	2,408	÷	43
8.		=	$2\frac{1}{4}$	add	$1\frac{3}{8}$
9.	$2\frac{1}{3}$	subtract	$1\frac{1}{4}$	=	
10.		=	$2\frac{1}{3}$	x	2

Thursday

1.	314,380	subtract	210,341	=	
2.	92.12	plus	31.9	equals	
3.		x	100	=	4,760
4.		=	3	times	716
5.		=	1,995	÷	3
6.	67	multiplied by	19	=	
7.		=	882	÷	18
8.		=	$2\frac{2}{6}$	add	$1\frac{2}{3}$
9.	$3\frac{4}{5}$	subtract	$1\frac{9}{10}$	=	
10.		=	$4\frac{1}{3}$	x	2

Friday

1.	503,271	subtract	299,387	=	
2.	27.37	plus	19.4	equals	
3.		x	100	=	1,350
4.		=	7	times	659
5.		=	7,533	÷	9
6.	76	multiplied by	39	=	
7.		=	3,735	÷	83
8.		=	$2\frac{3}{5}$	add	$1\frac{3}{5}$
9.	$1\frac{3}{6}$	plus	$1\frac{5}{6}$	=	
10.		=	$4\frac{3}{5}$	x	2

Ninja challenge

If Tom has **90 groups of** 1,100, how many does he have in total?

Monday

1.	350,000	–	290,000	=	
2.	240,000	+	190,000	=	
3.	20%	of	840	=	
4.	7^2	–	5^2	is equal to	
5.	7,000	x	8	=	
6.	4,900	÷	70	equals	
7.	40%	of	340	=	
8.	143	÷	100	=	
9.	1.47	x	10	=	
10.	$\frac{2}{9}$	x	2	equals	

Tuesday

1.	410,000	–	170,000	=	
2.	280,000	+	130,000	=	
3.	20%	of	740	=	
4.	8^2	–	4^2	is equal to	
5.	5,000	x	8	=	
6.	3,600	÷	60	equals	
7.	40%	of	180	=	
8.	1,045	÷	100	=	
9.	5.07	x	10	=	
10.	$\frac{1}{10}$	x	7	equals	

Wednesday

1.	560,000	–	210,000	=	
2.	740,000	+	190,000	=	
3.	20%	of	920	=	
4.	8^2	–	7^2	is equal to	
5.	9,000	x	8	=	
6.	5,500	÷	50	equals	
7.	40%	of	570	=	
8.	10,830	÷	100	=	
9.	16.09	x	10	=	
10.	$\frac{4}{15}$	x	3	equals	

Thursday

1.	780,000	–	590,000	=	
2.	260,000	+	170,000	=	
3.	20%	of	1,450	=	
4.	9^2	–	7^2	is equal to	
5.	7,000	x	8	=	
6.	4,200	÷	60	equals	
7.	40%	of	1,570	=	
8.	109	÷	100	=	
9.	20.01	x	10	=	
10.	$\frac{4}{20}$	x	4	equals	

Friday

1.	920,000	–	670,000	=	
2.	540,000	+	390,000	=	
3.	20%	of	1,980	=	
4.	10^2	–	7^2	is equal to	
5.	3,000	x	8	=	
6.	6,400	÷	80	equals	
7.	40%	of	2,140	=	
8.	14.5	÷	10	=	
9.	200.1	x	10	=	
10.	$\frac{5}{17}$	x	2	equals	

Ninja challenge

Cho says that 6,000 x 7 is **greater than** 40,000. Is Cho correct? Explain why.

WEEK 33

Monday

1.	9.9	x	2	=	
2.	8	–	1.25	=	
3.	8	–	$1\frac{1}{4}$	=	
4.	0.8	–	0.12	=	
5.	$\frac{8}{10}$	–	$\frac{12}{100}$	=	
6.	$\frac{4}{5}$	–	$\frac{6}{50}$	=	
7.	20	x	0.75	=	
8.	$\frac{12}{5}$	÷	3	=	
9.	2.4	÷	3	=	
10.	2.4	÷	0.3	=	

Tuesday

1.	84	x	$\frac{3}{4}$	=	
2.	840	x	$\frac{3}{4}$	=	
3.	$\frac{3}{4}$	of	84	=	
4.	$\frac{3}{4}$	of	8.4	=	
5.	84	x	0.75	=	
6.	84	x	7.5	=	
7.	84	x	75	=	
8.	75	÷	$\frac{3}{4}$	=	
9.	75	÷	0.75	=	
10.	75	÷	7.5	=	

Wednesday

1.	$\frac{3}{4}$	x	$1\frac{1}{2}$	=	
2.	$\frac{3}{4}$	x	1.5	=	
3.	0.75	x	1.5	=	
4.	7.5	x	$1\frac{1}{2}$	=	
5.	$\frac{2}{10}$	of	90	=	
6.	$\frac{1}{5}$	of	90	=	
7.	0.2	x	90	=	
8.	$\frac{1}{5}$	of	180	=	
9.	$\frac{4}{20}$	of	180	=	
10.	$\frac{20}{100}$	of	180	=	

Thursday

1.	0.75	–	0.6	=	
2.	$\frac{3}{4}$	–	$\frac{6}{10}$	=	
3.	$\frac{3}{4}$	–	$\frac{3}{5}$	=	
4.	1.75	–	0.6	=	
5.	$1\frac{3}{4}$	–	$\frac{6}{10}$	=	
6.	1.75	–	$\frac{12}{20}$	=	
7.	50	x	50	=	
8.	60	x	60	=	
9.	19	x	19	=	
10.	1.9	x	1.9	=	

Friday

1.	10%	of	9	=	
2.	20%	of	9	=	
3.	30%	of	9	=	
4.	60%	of	9	=	
5.	9	x	60%	=	
6.	9	x	$\frac{6}{10}$	=	
7.	9	x	$\frac{3}{5}$	=	
8.	9	x	0.6	=	
9.	$\frac{6}{10}$	of	9	=	
10.	1%	of	90	=	

Ninja challenge

Tom says that 0.174 **less than** 1 is **equal to** 0.936. Is Tom correct? Explain why.

Monday

1.	564,382	subtract			=		380,448
2.		plus	73,361	equals	414,644		
3.		=	$\frac{2}{5}$	x	$\frac{1}{3}$		
4.		equals	5	times	934		
5.		=	6,545	÷	7		
6.	67	multiplied by	46	=			
7.		=	3,813	÷	93		
8.		=	13.2	multiplied by	8		
9.	$2\frac{2}{6}$	add	$1\frac{2}{3}$	=			
10.		=	$3\frac{3}{5}$	x	3		

Tuesday

1.	714,371	subtract			=		343,117
2.		plus	90,374	equals	592,735		
3.		=	$\frac{4}{6}$	x	$\frac{2}{3}$		
4.		equals	6	times	956		
5.		=	3,912	÷	4		
6.	76	multiplied by	57	=			
7.		=	5,488	÷	98		
8.		=	27.4	multiplied by	7		
9.	$2\frac{3}{5}$	add	$1\frac{8}{10}$	=			
10.		=	$5\frac{1}{7}$	x	3		

Wednesday

1.	893,775	subtract			=		485,412
2.		plus	99,893	equals	764,366		
3.		=	$\frac{3}{8}$	x	$\frac{4}{5}$		
4.		equals	4	times	974		
5.		=	4,368	÷	6		
6.	87	multiplied by	13	=			
7.		=	4,221	÷	63		
8.		=	45.8	multiplied by	8		
9.	$5\frac{1}{5}$	add	$1\frac{4}{5}$	=			
10.		=	$6\frac{1}{3}$	x	3		

Thursday

1.	762,321	subtract			=		463,987
2.		plus	101,249	equals	411,537		
3.		=	$\frac{2}{5}$	x	$\frac{3}{4}$		
4.		equals	7	times	329		
5.		=	2,775	÷	5		
6.	81	multiplied by	18	=			
7.		=	574	÷	41		
8.		=	54.3	multiplied by	5		
9.	$3\frac{1}{6}$	add	$1\frac{2}{6}$	=			
10.		=	$2\frac{1}{4}$	x	3		

Friday

1.	827,361	subtract			=		633,989
2.		plus	201,283	equals	606,644		
3.		=	$\frac{5}{7}$	x	$\frac{4}{6}$		
4.		equals	6	times	452		
5.		=	2,232	÷	8		
6.	94	multiplied by	54	=			
7.		=	972	÷	36		
8.		=	67.2	multiplied by	4		
9.	$4\frac{1}{2}$	add	$1\frac{2}{4}$	=			
10.		=	$2\frac{1}{3}$	x	4		

Ninja challenge

Iko tells Sam that 120,000 is **equal** to $\frac{2}{5}$ of 350,000. Is Iko correct? Explain why.

Monday

1.	30%	of	780	=	
2.	70%	of	860	=	
3.	406	÷	100	=	
4.	0.17	x	100	=	
5.	$\frac{5}{6}$	÷	2	equals	
6.	10,000	more than	424,203	=	
7.	1,000	less than	104,322	=	
8.	36	x	46	=	
9.	1,648	÷	4	=	
10.	$\frac{5}{6}$	x	$\frac{2}{4}$	equals	

Tuesday

1.	30%	of	340	=	
2.	70%	of	140	=	
3.	14.6	÷	100	=	
4.	1.84	x	100	=	
5.	$\frac{3}{5}$	÷	5	equals	
6.	10,000	more than	192,374	=	
7.	1,000	less than	374,381	=	
8.	29	x	35	=	
9.	2,770	÷	5	=	
10.	$\frac{1}{6}$	x	$\frac{3}{4}$	equals	

Wednesday

1.	30%	of	560	=	
2.	70%	of	1,200	=	
3.	90.2	÷	100	=	
4.	14.3	x	100	=	
5.	$\frac{3}{6}$	÷	3	equals	
6.	10,000	more than	740,574	=	
7.	1,000	less than	340,582	=	
8.	56	x	24	=	
9.	2,388	÷	6	=	
10.	$\frac{1}{3}$	x	$\frac{3}{5}$	equals	

Thursday

1.	30%	of	990	=	
2.	70%	of	1,450	=	
3.	1,004	÷	100	=	
4.	67	x	100	=	
5.	$\frac{8}{9}$	÷	2	equals	
6.	10,000	more than	168,443	=	
7.	1,000	less than	100,285	=	
8.	71	x	39	=	
9.	3,059	÷	7	=	
10.	$\frac{4}{5}$	x	$\frac{3}{5}$	equals	

Friday

1.	30%	of	1,400	=	
2.	70%	of	2,560	=	
3.	1,430	÷	100	=	
4.	57.5	x	100	=	
5.	$\frac{8}{10}$	÷	2	equals	
6.	10,000	more than	804,571	=	
7.	1,000	less than	578,473	=	
8.	55	x	42	=	
9.	2,272	÷	8	=	
10.	$\frac{1}{3}$	x	$\frac{1}{5}$	equals	

Ninja challenge

Tom states that 17% of 900 is 135. Is Tom correct?

Monday

1.	9.9	x	3	=	
2.	10	−	1.25	=	
3.	10	−	$1\frac{1}{4}$	=	
4.	100	−	$1\frac{1}{4}$	=	
5.	500	−	$1\frac{1}{4}$	=	
6.	500	−	1.25	=	
7.	500	x	125	=	
8.	$\frac{3}{4}$	÷	6	=	
9.	0.75	÷	3	=	
10.	0.75	÷	6	=	

Tuesday

1.	120	x	$\frac{3}{4}$	=	
2.	124	x	$\frac{3}{4}$	=	
3.	$\frac{3}{4}$	of	120	=	
4.	$\frac{3}{4}$	of	12	=	
5.	120	x	0.75	=	
6.	120	x	7.5	=	
7.	120	x	75	=	
8.	120	÷	$\frac{3}{4}$	=	
9.	120	÷	0.75	=	
10.	12	÷	0.75	=	

Wednesday

1.	$\frac{3}{4}$	+	$\frac{2}{8}$	=	
2.	$\frac{3}{4}$	+	$\frac{4}{16}$	=	
3.	0.75	+	0.25	=	
4.	$\frac{3}{4}$	−	$\frac{6}{8}$	=	
5.	$1\frac{1}{4}$	−	$\frac{6}{8}$	=	
6.	1.25	−	0.75	=	
7.	$9\frac{1}{4}$	x	2	=	
8.	$\frac{1}{5}$	of	240	=	
9.	$\frac{4}{20}$	of	240	=	
10.	$\frac{20}{100}$	of	240	=	

Thursday

1.	1.5	−	0.6	=	
2.	$1\frac{1}{2}$	−	$\frac{6}{10}$	=	
3.	3	−	$\frac{6}{10}$	=	
4.	3	−	0.6	=	
5.	3	−	$\frac{3}{5}$	=	
6.	30	−	0.6	=	
7.	70	x	70	=	
8.	80	x	80	=	
9.	14	x	14	=	
10.	1.4	x	1.4	=	

Friday

1.	1%	of	900	=	
2.	2%	of	900	=	
3.	3%	of	900	=	
4.	6%	of	900	=	
5.	900	x	6%	=	
6.	900	x	$\frac{6}{100}$	=	
7.	900	x	$\frac{3}{50}$	=	
8.	900	x	0.06	=	
9.	$\frac{6}{100}$	of	900	=	
10.	$\frac{2}{100}$	of	900	=	

Ninja challenge

Sam tells Tom that 42,000 is **equal** to $\frac{6}{7}$ of 49,000. Is Sam correct? Explain why.

WEEK 34

Monday

1.	4	x	60	=	
2.	90	x		=	3,600
3.		=	6	times	700
4.		=	800	groups of	30
5.		=	4,000	multiplied by	30
6.		=	640,000	÷	800
7.		divided by	9	=	5,000
8.		=	6,300	shared by	7
9.		times	20	=	120,000
10.	500	=		÷	90

Tuesday

1.	7	x	40	=	
2.	70	x		=	3,500
3.		=	8	times	300
4.		=	600	groups of	30
5.		=	6,000	multiplied by	90
6.		=	810,000	÷	900
7.		divided by	7	=	6,000
8.		=	2,400	shared by	2
9.		times	60	=	420,000
10.	800	=		÷	60

Wednesday

1.	9	x	60	=	
2.	70	x		=	5,600
3.		=	7	times	500
4.		=	900	groups of	30
5.		=	8,000	multiplied by	40
6.		=	240,000	÷	600
7.		divided by	7	=	7,000
8.		=	7,200	shared by	9
9.		times	80	=	320,000
10.	1,200	=		÷	80

Thursday

1.	8	x	60	=	
2.	90	x		=	7,200
3.		=	12	times	400
4.		=	700	groups of	60
5.		=	6,000	multiplied by	70
6.		=	360,000	÷	600
7.		divided by	6	=	9,000
8.		=	4,800	shared by	8
9.		times	80	=	720,000
10.	800	=		÷	100

Friday

1.	7	x	70	=	
2.	90	x		=	8,100
3.		=	6	times	600
4.		=	400	groups of	40
5.		=	8,000	multiplied by	80
6.		=	250,000	÷	500
7.		divided by	8	=	8,000
8.		=	9,000	shared by	30
9.		times	12	=	144,000
10.	400	=		÷	400

Ninja challenge

Tom **adds** 240.3 to 98.43. Tom then **subtracts** the **total** from 400. What total does Tom get?

Monday

1.	45%	of	760	=	
2.	85%	of	320	=	
3.	$1\frac{3}{10}$	x	3	=	
4.	4.6	x	6	=	
5.	$\frac{3}{10}$	x	2	equals	
6.	10,000	more than	193,477	=	
7.	1,000	less than	100,273	=	
8.	10	less than	47,381	=	
9.	100	more than	30,803	=	
10.	$\frac{1}{3}$	+	$\frac{1}{5}$	equals	

Tuesday

1.	45%	of	580	=	
2.	85%	of	640	=	
3.	$1\frac{3}{4}$	x	5	=	
4.	7.4	x	9	=	
5.	$\frac{2}{11}$	x	4	equals	
6.	10,000	more than	234,333	=	
7.	1,000	less than	34,382	=	
8.	10	less than	12,377	=	
9.	100	more than	105,901	=	
10.	$\frac{1}{2}$	+	$\frac{3}{4}$	equals	

Wednesday

1.	45%	of	720	=	
2.	85%	of	540	=	
3.	$1\frac{1}{3}$	x	4	=	
4.	11.5	x	7	=	
5.	$\frac{3}{14}$	x	4	equals	
6.	10,000	more than	158,001	=	
7.	1,000	less than	127,043	=	
8.	10	less than	280,080	=	
9.	100	more than	99,909	=	
10.	$\frac{2}{3}$	+	$\frac{3}{4}$	equals	

Thursday

1.	45%	of	1,240	=	
2.	85%	of	1,280	=	
3.	$2\frac{1}{2}$	x	3	=	
4.	15.9	x	7	=	
5.	$\frac{1}{20}$	x	11	equals	
6.	10,000	more than	204,833	=	
7.	1,000	less than	222,342	=	
8.	10	less than	101,110	=	
9.	100	more than	202,220	=	
10.	$\frac{2}{6}$	+	$\frac{3}{4}$	equals	

Friday

1.	45%	of	1,460	=	
2.	85%	of	910	=	
3.	$3\frac{1}{3}$	x	2	=	
4.	24.5	x	6	=	
5.	$\frac{3}{15}$	x	4	equals	
6.	10,000	more than	190,200	=	
7.	1,000	less than	109,030	=	
8.	10	less than	903,093	=	
9.	100	more than	810,250	=	
10.	$\frac{2}{4}$	+	$\frac{5}{8}$	equals	

Ninja challenge

Sam says that 34 **groups of** 27 is **equal to** 981. Is Sam correct?

Monday

1.	0.25	x	60	=	
2.	$\frac{1}{4}$	x	60	=	
3.	$\frac{1}{4}$	x	600	=	
4.	0.25	x	600	=	
5.	$\frac{1}{4}$	of	600	=	
6.	400	x	$1\frac{1}{4}$	=	
7.	400	x	1.25	=	
8.	$\frac{3}{4}$	÷	12	=	
9.	0.750	÷	0.125	=	
10.	$\frac{3}{4}$	÷	$\frac{1}{8}$	=	

Tuesday

1.	25	x	25	=	
2.	25	x	2.5	=	
3.	25	x	0.25	=	
4.	$\frac{3}{4}$	of	36	=	
5.	$\frac{3}{4}$	of	72	=	
6.	$\frac{3}{4}$	of	144	=	
7.	$\frac{3}{4}$	of	288	=	
8.	36	÷	$\frac{3}{4}$	=	
9.	36	÷	0.75	=	
10.	360	÷	0.75	=	

Wednesday

1.	$1\frac{3}{4}$	+	$\frac{3}{12}$	=	
2.	$1\frac{3}{4}$	+	$\frac{6}{24}$	=	
3.	1.75	+	0.25	=	
4.	$1\frac{3}{4}$	−	$\frac{6}{8}$	=	
5.	$1\frac{3}{4}$	−	$\frac{9}{12}$	=	
6.	1.75	−	0.75	=	
7.	$12\frac{1}{4}$	x	4	=	
8.	12.25	x	4	=	
9.	$\frac{10}{15}$	of	225	=	
10.	$\frac{2}{3}$	of	225	=	

Thursday

1.	1.125	−	0.3	=	
2.	$1\frac{1}{8}$	−	$\frac{3}{10}$	=	
3.	1,125	−	300	=	
4.	7	−	0.4	=	
5.	7	−	$\frac{2}{5}$	=	
6.	$2\frac{3}{4}$	−	0.75	=	
7.	11 x 11	x	11	=	
8.	121	x	11	=	
9.	12.1	x	11	=	
10.	121	x	22	=	

Friday

1.	1%	of	800	=	
2.	20%	of	800	=	
3.	21%	of	800	=	
4.	42%	of	800	=	
5.	800	x	21%	=	
6.	800	x	$\frac{21}{100}$	=	
7.	800	x	0.21	=	
8.	800	x	0.42	=	
9.	$\frac{21}{100}$	of	800	=	
10.	$\frac{21}{100}$	of	80	=	

Ninja challenge

Cho **multiplies** 2,145 by 8. What is her answer?

WEEK 35

Monday

1.		x	70	=	490
2.	90	x		=	8,100
3.	3,600	=	6	times	
4.	16,000	=	400	groups of	
5.	640,000	=	8,000	multiplied by	
6.	500	=	250,000	÷	
7.	64,000	divided by		=	8,000
8.	300	=	9,000	shared by	
9.	12,000	times		=	144,000
10.	400	=	160,000	÷	

Tuesday

1.		x	50	=	300
2.	70	x		=	1,400
3.	1,200	=	3	times	
4.	15,000	=	300	groups of	
5.	60,000	=	2,000	multiplied by	
6.	300	=	120,000	÷	
7.	24,000	divided by		=	8,000
8.	900	=	27,000	shared by	
9.	1,200	times		=	7,200
10.	700	=	420,000	÷	

Wednesday

1.	6	x		=	540
2.	40	x		=	3,600
3.	3,500	=	7	times	
4.	42,000	=	600	groups of	
5.	450,000	=	9,000	multiplied by	
6.	900	=	360,000	÷	
7.	28,000	divided by		=	7,000
8.	700	=	49,000	shared by	
9.	8,000	times		=	48,000
10.	120	=	108,000	÷	

Thursday

1.	5	x		=	200
2.	30	x		=	1,800
3.	3,200	=	8	times	
4.	9,000	=	300	groups of	
5.	80,000	=	4,000	multiplied by	
6.	900	=	270,000	÷	
7.	72,000	divided by		=	12,000
8.	800	=	40,000	shared by	
9.	3,000	times		=	36,000
10.	120	=	96,000	÷	

Friday

1.	7	x		=	280
2.	40	x		=	2,400
3.	4,200	=	6	times	
4.	30,000	=	500	groups of	
5.	140,000	=	7,000	multiplied by	
6.	800	=	480,000	÷	
7.	640,000	divided by		=	80,000
8.	1,000	=	20,000	shared by	
9.	5,000	times		=	45,000
10.	90	=	27,000	÷	

Ninja challenge

Cho tells Sam that 2,000 is **equal** to $\frac{3}{5}$ of 3,500. Is Cho correct? Explain why.

Monday

1.	21%	of	220	=	
2.	18%	of	340	=	
3.	10%	of	1,240	=	
4.	$\frac{3}{7}$	of	21	=	
5.	$\frac{3}{15}$	x	4	equals	
6.	80,273	+	52,040	=	
7.	100,245	−	74,591	=	
8.	67	−	19.1	=	
9.	34.32	+	10.3	=	
10.	$1\frac{2}{4}$	−	$\frac{5}{8}$	equals	

Tuesday

1.	21%	of	190	=	
2.	18%	of	120	=	
3.	10%	of	1,450	=	
4.	$\frac{5}{9}$	of	45	=	
5.	$\frac{2}{12}$	x	4	equals	
6.	95,311	+	46,783	=	
7.	90,284	−	27,335	=	
8.	52	−	34.7	=	
9.	45.66	+	19.4	=	
10.	$1\frac{1}{3}$	−	$\frac{7}{9}$	equals	

Wednesday

1.	21%	of	125	=	
2.	18%	of	164	=	
3.	10%	of	1,230	=	
4.	$\frac{5}{10}$	of	80	=	
5.	$\frac{2}{19}$	x	8	equals	
6.	102,359	+	51,405	=	
7.	109,380	−	45,676	=	
8.	71	−	45.9	=	
9.	17.45	+	20.9	=	
10.	$1\frac{1}{9}$	−	$\frac{2}{3}$	equals	

Thursday

1.	21%	of	96	=	
2.	18%	of	87	=	
3.	10%	of	1,490	=	
4.	$\frac{5}{7}$	of	63	=	
5.	$\frac{1}{5}$	x	4	equals	
6.	145,313	+	67,905	=	
7.	290,446	−	98,399	=	
8.	80	−	26.93	=	
9.	13.23	+	6.54	=	
10.	$1\frac{2}{6}$	−	$\frac{10}{12}$	equals	

Friday

1.	21%	of	90	=	
2.	18%	of	75	=	
3.	10%	of	1,290	=	
4.	$\frac{6}{9}$	of	27	=	
5.	$\frac{1}{3}$	x	4	equals	
6.	123,606	+	45,221	=	
7.	190,451	−	90,851	=	
8.	60	−	17.43	=	
9.	12.62	+	8.84	=	
10.	$2\frac{1}{4}$	−	$\frac{6}{8}$	equals	

Ninja challenge

Iko says that 174 **groups of** 5 is **equal** to 780. Is Iko correct?

Monday

1.	$\frac{1}{9}$	x	9	=
2.	$\frac{1}{9}$	x	27	=
3.	$\frac{1}{9}$	x	81	=
4.	$\frac{1}{9}$	x	8.1	=
5.	$\frac{1}{9}$	of	27	=
6.	600	x	$1\frac{1}{4}$	=
7.	600	x	1.25	=
8.	$\frac{3}{4}$	÷	$\frac{2}{8}$	=
9.	0.75	÷	0.25	=
10.	$\frac{3}{4}$	÷	$\frac{4}{8}$	=

Tuesday

1.	44	x	25	=
2.	440	x	25	=
3.	88	x	25	=
4.	$\frac{6}{8}$	of	64	=
5.	$\frac{3}{4}$	of	64	=
6.	$\frac{3}{4}$	of	128	=
7.	$\frac{9}{12}$	of	128	=
8.	24	÷	$\frac{3}{4}$	=
9.	24	÷	0.75	=
10.	240	÷	0.75	=

Wednesday

1.	$1\frac{4}{5}$	+	$\frac{2}{10}$	=
2.	1.8	+	$\frac{2}{10}$	=
3.	1.8	+	0.2	=
4.	$1\frac{4}{5}$	–	$\frac{8}{10}$	=
5.	1.8	–	$\frac{4}{5}$	=
6.	1.8	–	0.8	=
7.	$15\frac{1}{4}$	x	4	=
8.	15.25	x	4	=
9.	$\frac{11}{12}$	of	144	=
10.	$\frac{11}{12}$	of	288	=

Thursday

1.	1.341	–	0.6	=
2.	$\frac{4}{10}$	–	$\frac{1}{10}$	=
3.	1,047	–	600	=
4.	8	–	1.3	=
5.	4	–	$\frac{1}{2}$	=
6.	$1\frac{2}{3}$	–	$\frac{4}{9}$	=
7.	6 x 6	x	6	=
8.	36	x	6	=
9.	3.6	x	6	=
10.	3.6	x	12	=

Friday

1.	1%	of	600	=
2.	20%	of	600	=
3.	21%	of	600	=
4.	42%	of	600	=
5.	600	x	21%	=
6.	600	x	$\frac{21}{100}$	=
7.	600	x	0.21	=
8.	600	x	0.42	=
9.	$\frac{21}{100}$	of	600	=
10.	$\frac{21}{100}$	of	60	=

Ninja challenge

Iko states that 37% of 870 is 231.9. Is Iko correct?

WEEK 36

Monday

1.		is equal to	$\frac{5}{6}$	of	3,600	
2.	1	−		=	0.459	
3.	12.45	x	6	=		
4.		=	450,000	less than	562,337	
5.	123,000	more than	345,371	=		
6.		equals	1.01	times	1,000	
7.	2,800	=	4	times		
8.	600	=	30,000	shared by		
9.	7,000	times		=	63,000	
10.	110	=	33,000	÷		

Tuesday

1.		is equal to	$\frac{4}{7}$	of	5,600	
2.	1	−		=	0.395	
3.	14.37	x	4	=		
4.		=	190,000	less than	204,384	
5.	173,000	more than	256,480	=		
6.		equals	1.10	times	1,000	
7.	7,200	=	9	times		
8.	900	=	81,000	shared by		
9.	6,000	times		=	480,000	
10.	400	=	160,000	÷		

Wednesday

1.		is equal to	$\frac{3}{7}$	of	1,400	
2.	1	−		=	0.207	
3.	19.59	x	7	=		
4.		=	210,000	less than	561,405	
5.	245,000	more than	372,280	=		
6.		equals	2.01	times	1,000	
7.	3,500	=	5	times		
8.	800	=	32,000	shared by		
9.	6,000	times		=	240,000	
10.	300	=	210,000	÷		

Thursday

1.		is equal to	$\frac{4}{9}$	of	2,700	
2.	1	−		=	0.807	
3.	23.26	x	8	=		
4.		=	370,000	less than	793,380	
5.	310,000	more than	459,990	=		
6.		equals	3.31	times	1,000	
7.	5,600	=	7	times		
8.	700	=	28,000	shared by		
9.	4,000	times		=	360,000	
10.	700	=	56,000	÷		

Friday

1.		is equal to	$\frac{2}{6}$	of	4,200	
2.	1	−		=	0.126	
3.	27.05	x	9	=		
4.		=	259,000	less than	893,477	
5.	290,000	more than	174,560	=		
6.		equals	3.031	times	1,000	
7.	3,500	=	5	times		
8.	700	=	21,000	shared by		
9.	9,000	times		=	630,000	
10.	9,000	=	270,000	÷		

Ninja challenge

Sam **adds** 154.3 to 72.35. Sam then **subtracts** the **total** from 300. What total does Sam get?

WEEK 37

Monday

1.	60%	of	460	=	
2.	173	x	5	equals	
3.	594	÷	3	=	
4.	$\frac{5}{8}$	of	320	=	
5.	$\frac{1}{6}$	times	4	equals	
6.	17,204	add	5,839	=	
7.	20,000	minus	9,305	is equal to	
8.	22	take away	7.43	=	
9.	1	minus	0.54	=	
10.	$2\frac{1}{5}$	subtract	$\frac{7}{10}$	equals	

Tuesday

1.	70%	of	380	=	
2.	209	x	6	equals	
3.	704	÷	4	=	
4.	$\frac{5}{6}$	of	360	=	
5.	$\frac{2}{9}$	times	4	equals	
6.	19,477	add	4,057	=	
7.	10,000	minus	5,670	is equal to	
8.	13	take away	9.43	=	
9.	1	minus	0.17	=	
10.	$2\frac{1}{3}$	subtract	$\frac{7}{9}$	equals	

Wednesday

1.	80%	of	680	=	
2.	159	x	7	equals	
3.	1,104	÷	6	=	
4.	$\frac{7}{9}$	of	720	=	
5.	$\frac{2}{12}$	times	5	equals	
6.	20,001	add	9,193	=	
7.	10,000	minus	6,710	is equal to	
8.	12	take away	9.13	=	
9.	1	minus	0.94	=	
10.	$1\frac{1}{9}$	subtract	$\frac{2}{3}$	equals	

Thursday

1.	40%	of	460	=	
2.	212	x	8	equals	
3.	1,155	÷	7	=	
4.	$\frac{7}{8}$	of	640	=	
5.	$\frac{2}{20}$	times	9	equals	
6.	19,288	add	11,269	=	
7.	10,000	minus	4,571	is equal to	
8.	19	take away	4.47	=	
9.	1	minus	0.63	=	
10.	$1\frac{1}{8}$	subtract	$\frac{3}{4}$	equals	

Friday

1.	30%	of	290	=	
2.	229	x	9	equals	
3.	1,552	÷	8	=	
4.	$\frac{4}{6}$	of	540	=	
5.	$\frac{5}{21}$	times	4	equals	
6.	25,488	add	8,309	=	
7.	10,000	minus	6,048	is equal to	
8.	8	take away	3.95	=	
9.	1	minus	0.04	=	
10.	$1\frac{1}{5}$	subtract	$\frac{9}{15}$	equals	

Ninja challenge

Tom states that 87% of 2,300 is 1,998. Is Tom correct?

WEEK 37

Monday				
1.	$\frac{1}{8}$	x	8	=
2.	$\frac{1}{8}$	x	16	=
3.	$\frac{1}{8}$	x	24	=
4.	0.125	x	8	=
5.	0.125	x	16	=
6.	0.125	x	160	=
7.	$\frac{1}{8}$	of	160	=
8.	$\frac{2}{8}$	of	160	=
9.	0.25	x	160	=
10.	$\frac{1}{4}$	x	160	=

Tuesday				
1.	44	x	25	=
2.	100	x	25	=
3.	144	x	25	=
4.	$\frac{9}{12}$	of	84	=
5.	$\frac{3}{4}$	of	84	=
6.	$\frac{3}{4}$	of	168	=
7.	0.75	x	168	=
8.	48	÷	$\frac{3}{4}$	=
9.	4.8	÷	$\frac{3}{4}$	=
10.	96	÷	0.75	=

Wednesday				
1.	$1\frac{3}{4}$	+	$3\frac{1}{2}$	=
2.	1.75	+	3.5	=
3.	1.99	+	0.01	=
4.	$1\frac{4}{5}$	–	$\frac{10}{10}$	=
5.	1.8	–	1	=
6.	1.8	–	1.5	=
7.	$19\frac{1}{4}$	x	4	=
8.	19.25	x	4	=
9.	$19\frac{1}{4}$	x	8	=
10.	1.925	x	4	=

Thursday				
1.	$\frac{4}{5}$	–	0.4	=
2.	$\frac{8}{10}$	–	$\frac{4}{10}$	=
3.	16,500	–	900	=
4.	10	–	0.75	=
5.	10	–	$\frac{3}{4}$	=
6.	$10\frac{1}{4}$	–	$\frac{3}{4}$	=
7.	10.25	–	0.75	=
8.	5 x 5	x	5 x 5	=
9.	25	x	25	=
10.	250	x	2.5	=

Friday				
1.	1%	of	950	=
2.	2%	of	950	=
3.	3%	of	950	=
4.	90%	of	900	=
5.	90%	of	50	=
6.	90%	of	950	=
7.	950	x	0.9	=
8.	950	x	$\frac{9}{10}$	=
9.	$\frac{90}{100}$	of	950	=
10.	$\frac{90}{100}$	of	95	=

Ninja challenge

Iko **adds** 501,263 to 277,604. Iko then **adds a further** 17,390. What total does Iko get?

Arithmetic Ninja 10–11 © Andrew Jennings, 2022

Monday

1.	1,800	is equal to	$\frac{2}{5}$	of	
2.	10	−		=	8.126
3.	17.34	x	23	=	
4.		=	313,000	less than	704,371
5.	340,000	more than	238,351	=	
6.		equals	13.27	times	1,000
7.		=	7	times	900
8.		=	42,000	shared by	60
9.		times	6	=	540,000
10.		=	56,000	÷	70

Tuesday

1.	4,500	is equal to	$\frac{5}{8}$	of	
2.	10	−		=	7.944
3.	12.74	x	17	=	
4.		=	417,000	less than	690,463
5.	450,000	more than	197,445	=	
6.		equals	14.05	times	1,000
7.		=	6	times	800
8.		=	32,000	shared by	80
9.		times	6	=	240,000
10.		=	35,000	÷	50

Wednesday

1.	6,000	is equal to	$\frac{5}{6}$	of	
2.	10	−		=	6.096
3.	9.56	x	15	=	
4.		=	560,000	less than	784,102
5.	350,000	more than	285,443	=	
6.		equals	13.85	times	1,000
7.		=	4	times	1,200
8.		=	27,000	shared by	30
9.		times	8	=	720,000
10.		=	48,000	÷	400

Thursday

1.	45,000	is equal to	$\frac{5}{7}$	of	
2.	10	−		=	5.491
3.	10.54	x	18	=	
4.		=	270,000	less than	516,432
5.	760,000	more than	194,398	=	
6.		equals	9.05	times	1,000
7.		=	6	times	900
8.		=	33,000	shared by	30
9.		times	6	=	480,000
10.		=	36,000	÷	400

Friday

1.	63,000	is equal to	$\frac{7}{9}$	of	
2.	10	−		=	1.693
3.	16.21	x	17	=	
4.		=	140,000	less than	629,983
5.	310,000	more than	276,323	=	
6.		equals	20.56	times	1,000
7.		=	9	times	900
8.		=	18,000	shared by	30
9.		times	7	=	140,000
10.		=	63,000	÷	700

Ninja challenge

Tom **adds** 579,483 to 245.56. Tom then **subtracts** 189.45. What total does Tom get?

WEEK 38

Monday

1.	306	x	4	=	
2.	1,265	÷	5	=	
3.	2.54	x	10	=	
4.	12.5	x	1,000	=	
5.	163	÷	100	=	
6.	10%	of	640	=	
7.	1%	of	129	=	
8.	20%	of	290	=	
9.	$2\frac{1}{4}$	–	$1\frac{4}{5}$	=	
10.	$1\frac{1}{5}$	+	$1\frac{1}{3}$	=	

Tuesday

1.	312	x	5	=	
2.	1,644	÷	6	=	
3.	3.05	x	10	=	
4.	17.9	x	1,000	=	
5.	205	÷	100	=	
6.	10%	of	790	=	
7.	1%	of	327	=	
8.	20%	of	310	=	
9.	$2\frac{1}{3}$	–	$1\frac{5}{6}$	=	
10.	$1\frac{1}{9}$	+	$1\frac{2}{3}$	=	

Wednesday

1.	327	x	6	=	
2.	1,771	÷	7	=	
3.	13.07	x	10	=	
4.	6.7	x	1,000	=	
5.	194	÷	100	=	
6.	10%	of	1,340	=	
7.	1%	of	157	=	
8.	20%	of	78	=	
9.	$2\frac{1}{6}$	–	$1\frac{5}{6}$	=	
10.	$1\frac{4}{5}$	+	$1\frac{3}{10}$	=	

Thursday

1.	384	x	7	=	
2.	2,136	÷	8	=	
3.	24.5	x	10	=	
4.	5.67	x	1,000	=	
5.	57	÷	100	=	
6.	10%	of	84	=	
7.	1%	of	209	=	
8.	20%	of	108	=	
9.	$2\frac{2}{7}$	–	$1\frac{13}{14}$	=	
10.	$1\frac{1}{2}$	+	$1\frac{6}{10}$	=	

Friday

1.	219	x	8	=	
2.	1,488	÷	6	=	
3.	12.63	x	10	=	
4.	0.56	x	1,000	=	
5.	184	÷	100	=	
6.	10%	of	263	=	
7.	1%	of	143	=	
8.	20%	of	350	=	
9.	$2\frac{1}{4}$	–	$1\frac{3}{16}$	=	
10.	$3\frac{2}{9}$	+	$1\frac{2}{3}$	=	

Ninja challenge

Iko **subtracts** 17.56 from 100 and gets an answer of 82.54. Is Iko correct?

Arithmetic Ninja 10–11 © Andrew Jennings, 2022

Monday

1.	$\frac{4}{8}$	x	8	=	
2.	$\frac{1}{2}$	x	8	=	
3.	0.5	x	8	=	
4.	0.5	x	80	=	
5.	0.5	x	16	=	
6.	0.5	x	160	=	
7.	$\frac{4}{8}$	of	160	=	
8.	$\frac{1}{2}$	of	160	=	
9.	$\frac{1}{4}$	x	160	=	
10.	0.25	x	160	=	

Tuesday

1.	24	x	25	=	
2.	100	x	25	=	
3.	124	x	25	=	
4.	$\frac{9}{25}$	of	100	=	
5.	$\frac{9}{25}$	of	200	=	
6.	$\frac{36}{100}$	of	200	=	
7.	0.36	x	200	=	
8.	60	÷	$\frac{3}{4}$	=	
9.	600	÷	$\frac{3}{4}$	=	
10.	60	÷	0.75	=	

Wednesday

1.	$1\frac{3}{4}$	+	$3\frac{3}{4}$	=	
2.	1.75	+	3.75	=	
3.	1.97	+	0.03	=	
4.	$1\frac{4}{5}$	–	$1\frac{1}{2}$	=	
5.	1.8	–	1.5	=	
6.	1.8	–	1.51	=	
7.	$20\frac{1}{4}$	x	4	=	
8.	20.25	x	4	=	
9.	$20\frac{1}{4}$	x	8	=	
10.	2.025	x	4	=	

Thursday

1.	1.736	–	0.8	=	
2.	$\frac{4}{5}$	–	$\frac{2}{3}$	=	
3.	1,452	–	700	=	
4.	9	–	0.7	=	
5.	9	–	$\frac{3}{4}$	=	
6.	2.3	–	0.75	=	
7.	4 x 4	x	4	=	
8.	16	x	4	=	
9.	1.6	x	4	=	
10.	160	x	4	=	

Friday

1.	1%	of	700	=	
2.	20%	of	700	=	
3.	21%	of	700	=	
4.	42%	of	700	=	
5.	700	x	21%	=	
6.	700	x	$\frac{21}{100}$	=	
7.	700	x	0.21	=	
8.	700	x	0.42	=	
9.	$\frac{21}{100}$	of	700	=	
10.	$\frac{21}{100}$	of	70	=	

Ninja challenge

Tom **adds** 290,380 to 390,780. Tom then **subtracts** 405,690. What total does Tom get?

WEEK 38

Monday

1.	16	x	17	=	
2.	1,456	÷	26	=	
3.		=	240,384	−	178,384
4.		=	198,350	+	153,293
5.	13%	of	740	=	
6.	8,000	x	4	=	
7.		=	$\frac{3}{4}$	of	24,000
8.	$\frac{3}{4}$	x	$\frac{2}{5}$	=	
9.	$1\frac{3}{6}$	+	$\frac{7}{12}$	=	
10.	$2\frac{3}{4}$	−	$1\frac{1}{8}$	=	

Tuesday

1.	24	x	32	=	
2.	3,348	÷	54	=	
3.		=	764,372	−	173,360
4.		=	604,552	+	237,443
5.	17%	of	680	=	
6.	6,000	x	7	=	
7.		=	$\frac{5}{9}$	of	36,000
8.	$\frac{4}{7}$	x	$\frac{2}{3}$	=	
9.	$1\frac{4}{6}$	+	$\frac{3}{4}$	=	
10.	$3\frac{1}{6}$	−	$2\frac{2}{3}$	=	

Wednesday

1.	32	x	56	=	
2.	1,728	÷	24	=	
3.		=	804,377	−	254,443
4.		=	195,462	+	105,461
5.	23%	of	480	=	
6.	7,000	x	7	=	
7.		=	$\frac{5}{7}$	of	56,000
8.	$\frac{3}{7}$	x	$\frac{2}{4}$	=	
9.	$1\frac{4}{5}$	+	$1\frac{3}{4}$	=	
10.	$4\frac{1}{5}$	−	$1\frac{4}{10}$	=	

Thursday

1.	47	x	44	=	
2.	2,405	÷	37	=	
3.		=	716,343	−	332,354
4.		=	163,243	+	105,432
5.	32%	of	730	=	
6.	6,000	x	9	=	
7.		=	$\frac{4}{6}$	of	42,000
8.	$\frac{2}{8}$	x	$\frac{1}{5}$	=	
9.	$3\frac{2}{4}$	+	$1\frac{1}{5}$	=	
10.	$2\frac{1}{3}$	−	$1\frac{1}{6}$	=	

Friday

1.	52	x	67	=	
2.	2,106	÷	27	=	
3.		=	87,049	−	56,994
4.		=	98,048	+	74,812
5.	47%	of	670	=	
6.	4,000	x	7	=	
7.		=	$\frac{5}{8}$	of	72,000
8.	$\frac{4}{5}$	x	$\frac{2}{3}$	=	
9.	$2\frac{1}{8}$	+	$1\frac{3}{4}$	=	
10.	$2\frac{5}{8}$	−	$1\frac{3}{4}$	=	

Ninja challenge

Tom multiplies the **product** of 85 **times** 74 by 6. What answer does Tom have?

Monday

1.	194	x	9	=	
2.	1,184	÷	37	=	
3.	104	x	10	=	
4.	25.6	x	1,000	=	
5.	106	÷	100	=	
6.	15%	of	320	=	
7.	1%	of	3,380	=	
8.	20%	of	480	=	
9.	$2\frac{1}{5}$	–	$1\frac{9}{10}$	=	
10.	$3\frac{1}{3}$	+	$1\frac{5}{6}$	=	

Tuesday

1.	39	x	56	=	
2.	2,982	÷	42	=	
3.	2,350	x	10	=	
4.	17.4	x	1,000	=	
5.	194	÷	100	=	
6.	15%	of	440	=	
7.	1%	of	2,140	=	
8.	20%	of	580	=	
9.	$2\frac{1}{4}$	–	$1\frac{6}{8}$	=	
10.	$3\frac{1}{10}$	+	$1\frac{4}{5}$	=	

Wednesday

1.	73	x	26	=	
2.	1,344	÷	56	=	
3.	1,980	x	10	=	
4.	205	x	1,000	=	
5.	1,495	÷	100	=	
6.	15%	of	640	=	
7.	1%	of	5,580	=	
8.	20%	of	730	=	
9.	$4\frac{1}{6}$	–	$2\frac{9}{12}$	=	
10.	$3\frac{1}{5}$	+	$1\frac{3}{5}$	=	

Thursday

1.	57	x	19	=	
2.	2,728	÷	44	=	
3.	2,730	x	10	=	
4.	319	x	1,000	=	
5.	2,067	÷	100	=	
6.	15%	of	820	=	
7.	1%	of	6,790	=	
8.	20%	of	970	=	
9.	$3\frac{1}{4}$	–	$2\frac{9}{12}$	=	
10.	$1\frac{1}{6}$	+	$1\frac{3}{4}$	=	

Friday

1.	37	x	45	=	
2.	1,764	÷	49	=	
3.	3,030	x	10	=	
4.	401	x	1,000	=	
5.	1,048	÷	100	=	
6.	15%	of	1,260	=	
7.	1%	of	9,170	=	
8.	20%	of	2,560	=	
9.	$12\frac{2}{5}$	–	$2\frac{9}{10}$	=	
10.	$2\frac{1}{3}$	+	$1\frac{2}{4}$	=	

Ninja challenge

Iko **subtracts** 750.56 from 1,000 and gets an answer of 249.64. Is Iko correct?

WEEK 39

Monday

1.	$\frac{2}{8}$	x	8	=	
2.	$\frac{1}{4}$	x	8	=	
3.	0.25	x	8	=	
4.	0.25	x	80	=	
5.	0.25	x	16	=	
6.	0.25	x	160	=	
7.	$\frac{2}{8}$	of	160	=	
8.	$\frac{1}{4}$	of	160	=	
9.	$\frac{1}{4}$	x	160	=	
10.	0.25	x	160	=	

Tuesday

1.	32	x	25	=	
2.	100	x	25	=	
3.	132	x	25	=	
4.	$\frac{12}{25}$	of	100	=	
5.	$\frac{12}{25}$	of	200	=	
6.	$\frac{48}{100}$	of	200	=	
7.	0.48	x	200	=	
8.	3,000	÷	$\frac{3}{4}$	=	
9.	300	÷	$\frac{3}{4}$	=	
10.	30	÷	0.75	=	

Wednesday

1.	$1\frac{3}{4}$	+	$10\frac{3}{4}$	=	
2.	1.75	+	10.75	=	
3.	1.84	+	0.16	=	
4.	$5\frac{4}{5}$	–	$2\frac{1}{2}$	=	
5.	5.8	–	2.5	=	
6.	1.91	–	1.52	=	
7.	$30\frac{1}{4}$	x	4	=	
8.	30.25	x	4	=	
9.	$30\frac{1}{4}$	x	8	=	
10.	3.025	x	4	=	

Thursday

1.	$\frac{3}{5}$	–	0.4	=	
2.	$\frac{6}{10}$	–	$\frac{4}{10}$	=	
3.	26,500	–	900	=	
4.	15	–	0.75	=	
5.	15	–	$\frac{3}{4}$	=	
6.	$15\frac{1}{4}$	–	$\frac{3}{4}$	=	
7.	15.25	–	0.75	=	
8.	3 x 3	x	3 x 3	=	
9.	9	x	9	=	
10.	4.5	x	9	=	

Friday

1.	1%	of	70	=	
2.	2%	of	70	=	
3.	3%	of	70	=	
4.	90%	of	70	=	
5.	90%	of	700	=	
6.	90%	x	700	=	
7.	700	x	0.9	=	
8.	700	x	$\frac{9}{10}$	=	
9.	$\frac{90}{100}$	of	700	=	
10.	$\frac{90}{100}$	of	7	=	

Ninja challenge

Sam tells Tom that that 20,000 is **equal** to $\frac{3}{4}$ of 28,000. Is Sam correct? Explain why.

Arithmetic Ninja 10–11 © Andrew Jennings, 2022

WEEK 39

Monday

1.		x	59	=	2,832
2.	2,852	÷		=	92
3.	17,601	=		−	86,783
4.	158,916	=	108,441	+	
5.	47%	of	1,200	=	
6.	5,000	x	70	=	
7.	45,000	=	$\frac{5}{8}$	of	
8.		x	$\frac{2}{3}$	=	$\frac{2}{18}$
9.		=	$2\frac{1}{4}$	+	$1\frac{5}{8}$
10.		=	$3\frac{3}{4}$	−	$\frac{7}{8}$

Tuesday

1.		x	67	=	3,819
2.	4,183	÷		=	89
3.	135,949	=		−	94,930
4.	201,745	=	141,184	+	
5.	53%	of	1,300	=	
6.	7,000	x	70	=	
7.	10,000	=	$\frac{5}{9}$	of	
8.		x	$\frac{3}{6}$	=	$\frac{12}{30}$
9.		=	$1\frac{1}{9}$	+	$1\frac{2}{3}$
10.		=	$2\frac{1}{4}$	−	$\frac{7}{8}$

Wednesday

1.		x	72	=	4,608
2.	6,528	÷		=	96
3.	228,081	=		−	142,379
4.	633,853	=	439,531	+	
5.	67%	of	1,900	=	
6.	7,000	x	70	=	
7.	25,000	=	$\frac{5}{8}$	of	
8.		x	$\frac{3}{6}$	=	$\frac{6}{54}$
9.		=	$2\frac{1}{6}$	+	$1\frac{9}{12}$
10.		=	$3\frac{2}{5}$	−	$\frac{9}{10}$

Thursday

1.		x	74	=	5,032
2.	6,674	÷		=	94
3.	129,041	=		−	291,334
4.	790,833	=	567,421	+	
5.	72%	of	2,300	=	
6.	6,000	x	40	=	
7.	35,000	=	$\frac{5}{6}$	of	
8.		x	$\frac{1}{7}$	=	$\frac{5}{42}$
9.		=	$1\frac{1}{2}$	+	$1\frac{9}{12}$
10.		=	$2\frac{2}{6}$	−	$\frac{2}{3}$

Friday

1.		x	78	=	5,772
2.	6,225	÷		=	83
3.	346,017	=		−	301,434
4.	907,595	=	717,254	+	
5.	84%	of	3,700	=	
6.	8,000	x	30	=	
7.	20,000	=	$\frac{5}{12}$	of	
8.		x	$\frac{1}{3}$	=	$\frac{4}{36}$
9.		=	$1\frac{1}{4}$	+	$1\frac{5}{8}$
10.		=	$3\frac{1}{9}$	−	$\frac{5}{6}$

Ninja challenge

Iko tells Sam that 190,000 is **equal** to $\frac{2}{3}$ of 270,000. Is Iko correct? Explain why.

ANSWERS

Week 1: Grasshopper

Monday
1. 377
2. 54
3. 56
4. 6
5. 201
6. 32
7. 9
8. 42
9. 25
10. 120

Tuesday
1. 271
2. 67
3. 30
4. 7
5. 202
6. 81
7. 8
8. 54
9. 15
10. 50

Wednesday
1. 357
2. 86
3. 32
4. 4
5. 148
6. 91
7. 6
8. 36
9. 20
10. 120

Thursday
1. 421
2. 47
3. 28
4. 5
5. 125
6. 92
7. 7
8. 45
9. 50
10. 100

Friday
1. 430
2. 92
3. 48
4. 4
5. 200
6. 82
7. 8
8. 63
9. 40
10. 60

Ninja Challenge
143

Week 1: Shinobi

Monday
1. 3.5
2. 0.35
3. 4.5
4. 12.4
5. 1.24
6. 4.5
7. 0.45
8. 81
9. 8.1
10. 162

Tuesday
1. 9.7
2. 0.97
3. 12.3
4. 0.9
5. 1.234
6. 9
7. 18
8. 49
9. 4.9
10. 98

Wednesday
1. 9
2. 0.9
3. 0.9
4. 0.9
5. 1.8
6. 0.9
7. 1.8
8. 64
9. 6.4
10. 640

Thursday
1. 16
2. 1.6
3. 1.6
4. 8
5. 16
6. 8
7. 16
8. 72
9. 7.2
10. 144

Friday
1. 27
2. 2.7
3. 2.7
4. 9
5. 27
6. 9
7. 27
8. 270
9. 2.7
10. 2.7

Ninja Challenge
Yes, 7 x 500 = 3,500.

Week 1: Grand Master

Monday
1. 13,911
2. 30,235
3. 420
4. 86 r2 / 86.4
5. 7.86
6. 0.09
7. 80
8. 28.8
9. 507
10. 45

Tuesday
1. 40,132
2. 5,830
3. 380
4. 54
5. 4.44
6. 0.017
7. 120
8. 15.95
9. 1,092
10. 62

Wednesday
1. 30,524
2. 9,083
3. 255
4. 71 r2 / 71.5
5. 2.93
6. 0.009
7. 120
8. 11.64
9. 901
10. 44

Thursday
1. 33,816
2. 27,595
3. 792
4. 143
5. 7.44
6. 0.18
7. 90
8. 11.11
9. 966
10. 54

Friday
1. 37,698
2. 19,257
3. 1,045
4. 61
5. 10.925
6. 0.032
7. 90
8. 29.28
9. 608
10. 36

Ninja Challenge
No, 98,463 + 24,500 = 122,963.

Week 2: Grasshopper

Monday
1. 500
2. 98
3. 54
4. 9
5. 219
6. 0.09
7. 80
8. 28.8
9. 507
10. 200

Tuesday
1. 282
2. 98
3. 44
4. 7
5. 201
6. 102
7. 9
8. 20
9. 70
10. 160

Wednesday
1. 245
2. 98
3. 48
4. 7
5. 373
6. 185
7. 5
8. 10
9. 60
10. 160

Thursday
1. 446
2. 111
3. 72
4. 9
5. 383
6. 65
7. 6
8. 5
9. 20
10. 20

Friday
1. 278
2. 110
3. 56
4. 12
5. 433
6. 229
7. 7
8. 2
9. 5
10. 12

Ninja Challenge
No, 8 x 20 = 160.

Week 2: Shinobi

Monday
1. 144
2. 1,440
3. 288
4. 28.8
5. 12
6. 120
7. 1.2
8. 24
9. 6
10. 1.2

Tuesday
1. 121
2. 1,210
3. 242
4. 24.2
5. 11
6. 102
7. 1.1
8. 22
9. 11
10. 1.1

Wednesday
1. 4,479
2. 100
3. 200
4. 400
5. 1,500
6. 4
7. 8
8. 16
9. 40
10. 40

Thursday
1. 10,233
2. 500
3. 600
4. 800
5. 500
6. 24
7. 32
8. 320
9. 50
10. 50

Friday
1. 1,240
2. 620
3. 90
4. 180
5. 360
6. 600
7. 6,000
8. 40
9. 9
10. 18

Ninja Challenge
No, 10% of 5,400 is equal to 540.

Week 2: Grand Master

Monday
1. 704
2. 304
3. 390
4. 244
5. 11.91
6. 232.1
7. 120
8. 48.8
9. 837
10. 24

Tuesday
1. 506
2. 204
3. 520
4. 131 r3 / 131.75
5. 3.27
6. 144
7. 80
8. 68
9. 396
10. 25

Wednesday
1. 672
2. 432
3. 744
4. 32 r4 / 32.8
5. 5.991
6. 40.8
7. 90
8. 112
9. 1,768
10. 41

Thursday
1. 473
2. 489
3. 426
4. 33
5. 8.191
6. 0.8
7. 50
8. 174
9. 748
10. 29

Friday
1. 729
2. 625
3. 978
4. 183 r3 / 183.75
5. 16.19
6. 0.5
7. 60
8. 138
9. 1,568
10. 23

Ninja Challenge
294,388

Week 3: Grasshopper

Monday
1. 600
2. 99
3. 42
4. 12
5. 8
6. 120
7. 6
8. 10
9. 8
10. 18

Tuesday
1. 490
2. 273
3. 21
4. 131 r3 / 131.75
5. 5
6. 70
7. 9
8. 15
9. 40
10. 22

Wednesday
1. 480
2. 3
3. 32
4. 12
5. 10
6. 90
7. 11
8. 30
9. 100
10. 100

Thursday
1. 410
2. 199
3. 48
4. 12
5. 12
6. 130
7. 12
8. 25
9. 70
10. 160

Friday
1. 460
2. 191
3. 56
4. 9
5. 15
6. 140
7. 19
8. 50
9. 80
10. 180

Ninja Challenge
150

Week 3: Shinobi

Monday
1. 7
2. 0.7
3. 84
4. 840
5. 8.4
6. 900
7. 9,000
8. 900
9. 90
10. 180

Tuesday
1. 9
2. 0.09
3. 400
4. 900
5. 1,600
6. 700
7. 7,000
8. 0
9. 14
10. 140

Wednesday
1. 9
2. 459
3. 60
4. 10
5. 7
6. 14
7. 343.2
8. 0
9. 63
10. 6.3

Thursday
1. 700
2. 639
3. 70
4. 120
5. 8
6. 4
7. 1,343.2
8. 0
9. 108
10. 10.8

Friday
1. 11
2. 156
3. 900
4. 90
5. 11
6. 5.5
7. 144
8. 7.7
9. 56
10. 56

Ninja Challenge
120

Week 3: Grand Master

Monday
1. 946
2. 647
3. 1,584
4. 11.42
5. 6.59
6. 5
7. 101,000
8. 47
9. 154
10. 13

Tuesday
1. 614
2. 401
3. 1,386
4. 8.45
5. 6.58
6. 6
7. 10,000
8. 116.4
9. 192
10. 14

Wednesday
1. 373
2. 960
3. 1,836
4. 10.39
5. 1.76
6. 16
7. 111,000
8. 140.6
9. 210
10. 17

Thursday
1. 641
2. 870
3. 2,394
4. 14.86
5. 2.48
6. 109
7. 202,000
8. 164.6
9. 304
10. 17

Friday
1. 975
2. 569
3. 972
4. 1.9
5. 3.53
6. 210
7. 102,000
8. 86.4
9. 361
10. 20

Ninja Challenge
270,000

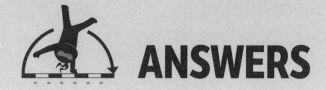
	Week 4: Grasshopper	Week 4: Shinobi	Week 4: Grand Master	Week 5: Grasshopper	Week 5: Shinobi	Week 5: Grand Master	Week 6: Grasshopper	Week 6: Shinobi	Week 6: Grand Master
Monday									
1.	610	44	1,166	688	70	156	508	$\frac{1}{2}$	101
2.	201	225	671	183	64	45	173	42	110
3.	54	120	1,809	64	128	28.8	60	84	70
4.	12	12	0.85	11	256	5.6	2	168	216
5.	21	1,200	3.55	26	11	6.4	15	7	4.5
6.	360	13	0.27	320	110	0.045	460	3.5	53
7.	23	169	36	17	30	7	39	35	700
8.	70	16.9	9.4	35	60	135	205	5	78.2
9.	11	12	102,200	15	6	57	22	5	3
10.	26	24	298,126	42	6	200	48	5	14
Tuesday									
1.	596	104	1,078	847	90	213	614	$\frac{1}{2}$	99
2.	302	380	1,123	164	81	79	288	54	101
3.	63	361	2,810	35	162	31.5	45	108	110
4.	11	19	0.804	12	324	7.7	12	216	301
5.	31	38	8.92	45	13	2.9	24	9.5	3.1
6.	270	15	0.45	220	130	0.0042	570	9.5	41
7.	40	225	5.6	14	33	90	17	9.5	40
8.	200	22.5	12.6	80	33	237	110	6	51.2
9.	22	36	570,831	17	56	61	21	6	6
10.	28	3.6	35,814	62	560	250	64	6	16
Wednesday									
1.	571	18	1,092	222	4	419	644	$\frac{1}{2}$	199
2.	372	960	659	331	100	217	135	63	111
3.	99	9.6	2,724	56	1,000	41.4	72	630	60
4.	11	4	2.344	4	10,000	6.8	12	637	0
5.	37	16	7.46	29	14	3.7	56	9.3	6.72
6.	360	160	0.004	430	28	0.175	110	9.3	61.2
7.	29	10	5.06	19	14	360	19	9.3	490
8.	100	300	9	14	37	21	210	50	81.2
9.	15	6	357,805	18	37	46.1	23	50	0.45
10.	34	0.6	92	38	72	160	56	50	1.56
Thursday									
1.	474	180	1,101	411	4	606	465	$\frac{1}{2}$	189
2.	443	242	1,001	71	36	328	124	48	119
3.	35	4.5	1,768	28	72	34.5	96	480	90
4.	6	8	12.825	6	144	9.1	12	486	215
5.	41	32	4.8	42	11	4.6	36	9.2	4.19
6.	290	64	1.4	380	110	0.0347	280	9.2	85.2
7.	30	10	9	35	10	690	32	9.2	720
8.	33	20	20.2	21	10	36.9	320	25	63.4
9.	25	6.6	60,452	14	10	73.5	31	25	0.78
10.	48	66	9,092	68	100	115	108	25	0.86
Friday									
1.	518	4.5	1,010	616	4	877	663	$\frac{1}{4}$	89
2.	503	98	1,010	82	36	720	203	108	121
3.	49	196	1,944	72	72	74.5	132	1,080	110
4.	8	100	18.92	12	144	8.4	9	1,092	412
5.	36	1,000	4.91	11	6	3.7	45	9.6	2.56
6.	240	1,000	2.3	190	6	0.531	320	9.6	51.2
7.	25	14	0.9	45	3	78	42	9.6	910
8.	40	28	30.4	250	4	103.5	150	25	30.2
9.	13	7.7	76,712	18	4	12.5	23	12.5	0.87
10.	28	77	87,868	72	4	75	68	12.5	1.12

	Week 4: Grasshopper	Week 4: Shinobi	Week 4: Grand Master	Week 5: Grasshopper	Week 5: Shinobi	Week 5: Grand Master	Week 6: Grasshopper	Week 6: Shinobi	Week 6: Grand Master
Ninja Challenge	No, 9 groups of 40 = 360.	Yes, 184,939 - 10,000 = 174,939 and 173,273 + 10,000 = 174,273.	No, 6 x 906 = 6,342.	384	49,300	159,880	No, 1,790 + 840 = 2,630.	No, 90 x 40 = 3,600.	30,000

ANSWERS

Week 7: Grasshopper

Monday
1. 950
2. 353
3. 48
4. 4
5. 64
6. 120
7. 14
8. 400
9. 21
10. 70

Tuesday
1. 909
2. 200
3. 84
4. 8
5. 72
6. 140
7. 24
8. 22
9. 32
10. 54

Wednesday
1. 821
2. 376
3. 63
4. 7
5. 80
6. 170
7. 32
8. 41
9. 12
10. 92

Thursday
1. 805
2. 281
3. 36
4. 7
5. 27
6. 160
7. 19
8. 45
9. 34
10. 92

Friday
1. 902
2. 433
3. 56
4. 8
5. 51
6. 520
7. 43
8. 35
9. 43
10. 74

Ninja Challenge
3,500

Week 7: Shinobi

Monday
1. $\frac{1}{8}$
2. 12
3. 24
4. 2.4
5. 65
6. 6.5
7. 9.75
8. 75
9. 75
10. 75

Tuesday
1. 100
2. 12
3. 24
4. 2.4
5. 15
6. 1.5
7. 9.25
8. 9.25
9. 9.25
10. 7.5

Wednesday
1. 10
2. 4
3. 8
4. 8
5. 9.1
6. 9.1
7. 9.1
8. 4,556
9. 16
10. 32

Thursday
1. $\frac{1}{2}$
2. 8
3. 16
4. 160
5. 9.2
6. 9.2
7. 9.2
8. 4,656
9. 24
10. 48

Friday
1. $\frac{1}{2}$
2. 8
3. 16
4. 16
5. 9.4
6. 9.4
7. 9.4
8. 8,008
9. 30
10. 60

Ninja Challenge
No, 80% of 4,600 = 3,680.

Week 7: Grand Master

Monday
1. 12,652
2. 32,501
3. 120
4. 282
5. 2.46
6. 13
7. 12
8. 30.2
9. 4
10. 11.2

Tuesday
1. 10,519
2. 60,466
3. 110
4. 438
5. 5.02
6. 18
7. 15
8. 42
9. 6
10. 17.2

Wednesday
1. 5,897
2. 25,713
3. 120
4. 612
5. 8.63
6. 34
7. 16
8. 57.3
9. 12
10. 21

Thursday
1. 1,534
2. 90,856
3. 120
4. 704
5. 9.24
6. 40
7. 27
8. 71.3
9. 18
10. 52

Friday
1. 10,673
2. 50,734
3. 90
4. 3,724
5. 13.08
6. 100
7. 45
8. 65.1
9. 41
10. 192

Ninja Challenge
No, 45% of 640 is equal to 288.

Week 8: Grasshopper

Monday
1. 283
2. 856
3. 8
4. 42
5. 42
6. 760
7. 71
8. 15
9. 132
10. 99

Tuesday
1. 253
2. 963
3. 12
4. 72
5. 62
6. 140
7. 98
8. 20
9. 214
10. 138

Wednesday
1. 412
2. 414
3. 7
4. 32
5. 76
6. 210
7. 53
8. 30
9. 142
10. 192

Thursday
1. 221
2. 830
3. 6
4. 24
5. 49
6. 520
7. 13
8. 50
9. 214
10. 129

Friday
1. 235
2. 644
3. 12
4. 36
5. 62
6. 190
7. 12
8. 40
9. 314
10. 162

Ninja Challenge
No, 2,500 less than 8,000 is 5,500.

Week 8: Shinobi

Monday
1. $\frac{1}{2}$
2. 2.5
3. 2.5
4. 2.5
5. 39
6. 3.9
7. 9.6
8. 9,000
9. 40
10. 40

Tuesday
1. $\frac{1}{2}$
2. 7.5
3. 7.5
4. 7.5
5. 7.5
6. 7.5
7. 15
8. 15
9. 15
10. 15

Wednesday
1. $\frac{1}{2}$
2. 75
3. 75
4. 75
5. 75
6. 75
7. 150
8. 150
9. 150
10. 150

Thursday
1. $\frac{1}{2}$
2. 750
3. 750
4. 750
5. 750
6. 750
7. 1,500
8. 1,500
9. 1,500
10. 1,500

Friday
1. $\frac{1}{2}$
2. 0.75
3. 0.75
4. 0.75
5. 0.75
6. 0.75
7. 1.5
8. 1.5
9. 1.5
10. 1.5

Ninja Challenge
Yes, both are equal to 200,000.

Week 8: Grand Master

Monday
1. 285,549
2. 82,410
3. 70
4. 426
5. 15.32
6. 85
7. 28
8. 2,925
9. 5.8
10. 45

Tuesday
1. 141,456
2. 60,886
3. 60
4. 1,756
5. 19.12
6. 97
7. 56
8. 928
9. 21.3
10. 42

Wednesday
1. 103,265
2. 34,789
3. 50
4. 2,164
5. 22.64
6. 90
7. 33
8. 817
9. 33.78
10. 23

Thursday
1. 65,842
2. 57,236
3. 30
4. 1,258
5. 69.03
6. 80
7. 75
8. 726
9. 27.79
10. 17

Friday
1. 112,655
2. 42,268
3. 20
4. 3,726
5. 102.76
6. 117
7. 17
8. 2,214
9. 64.24
10. 56

Ninja Challenge
283,084

Week 9: Grasshopper

Monday
1. 55
2. 73
3. 7
4. 21
5. 9
6. 40
7. 12
8. 9
9. 231
10. 69

Tuesday
1. 42
2. 109
3. 8
4. 40
5. 7
6. 70
7. 24
8. 20
9. 404
10. 175

Wednesday
1. 82
2. 154
3. 11
4. 35
5. 8
6. 90
7. 32
8. 50
9. 87
10. 174

Thursday
1. 99
2. 177
3. 12
4. 28
5. 8
6. 120
7. 45
8. 60
9. 64
10. 252

Friday
1. 89
2. 201
3. 3
4. 24
5. 8
6. 150
7. 51
8. 100
9. 64
10. 124

Ninja Challenge
Tom has more. 2.1 x 2 = 4.2. Half of 8.6 is 4.3.

Week 9: Shinobi

Monday
1. 10
2. 81
3. 810
4. 9
5. 90
6. 0.9
7. 90
8. 900
9. 9
10. 0.9

Tuesday
1. 10
2. 64
3. 640
4. 8
5. 80
6. 0.8
7. 80
8. 800
9. 8
10. 0.8

Wednesday
1. 100
2. 49
3. 490
4. 7
5. 70
6. 0.7
7. 70
8. 700
9. 7
10. 0.7

Thursday
1. 300
2. 36
3. 3,600
4. 6
5. 60
6. 0.6
7. 60
8. 600
9. 6
10. 0.6

Friday
1. 90
2. 25
3. 2,500
4. 5
5. 50
6. 0.5
7. 50
8. 500
9. 5
10. 0.5

Ninja Challenge
Yes, the difference is 480,300.

Week 9: Grand Master

Monday
1. 45,283
2. 103,562
3. 8
4. 240
5. 13
6. $\frac{3}{8}$
7. $3\frac{3}{4}$
8. $\frac{2}{5}$
9. 696
10. 14

Tuesday
1. 38,524
2. 98,491
3. 9
4. 350
5. 18
6. $\frac{3}{8}$
7. $\frac{2}{4}$ or $\frac{1}{2}$
8. $\frac{1}{5}$
9. 624
10. 19

Wednesday
1. 47,459
2. 101,456
3. 12
4. 490
5. 25
6. $\frac{3}{12}$ or $\frac{1}{4}$
7. $\frac{4}{6}$ or $\frac{2}{3}$
8. $\frac{1}{6}$
9. 1,705
10. 31

Thursday
1. 59,642
2. 103,563
3. 6
4. 240
5. 41
6. $\frac{2}{18}$ or $\frac{1}{9}$
7. $\frac{5}{6}$
8. $\frac{4}{6}$ or $\frac{2}{3}$
9. 1,914
10. 32

Friday
1. 48,712
2. 105,623
3. 8
4. 810
5. 52
6. $\frac{6}{12}$ or $\frac{1}{2}$
7. $\frac{3}{4}$
8. $\frac{3}{5}$
9. 1,808
10. 31

Ninja Challenge
5,180

Arithmetic Ninja 10–11 © Andrew Jennings, 2022

ANSWERS

Week 10 Grasshopper

	Monday	Tuesday	Wednesday	Thursday	Friday
1.	81	164	129	128	285
2.	419	421	456	491	563
3.	3	5	6	9	9
4.	24	18	36	24	44
5.	30	50	60	90	90
6.	240	180	360	240	440
7.	40	20	30	60	80
8.	80	40	60	120	160
9.	54	36	47	72	84
10.	210	336	372	396	534

Ninja Challenge: 10,001

Week 10 Shinobi

	Monday	Tuesday	Wednesday	Thursday	Friday
1.	80	800	0.1	1.2	1.1
2.	16	121	144	9	100
3.	1,600	12,100	14,400	90	300
4.	4	11	12	900	600
5.	40	110	120	30	625
6.	0.4	1.1	1.2	0.3	0.1
7.	40	110	120	30	25
8.	400	1,100	1,200	300	250
9.	4	11	12	3	2.5
10.	0.4	1.1	1.2	0.3	2.5

Ninja Challenge: Yes, 40 x 500 = 20,000.

Week 10 Grand Master

	Monday	Tuesday	Wednesday	Thursday	Friday
1.	63,567	74,084	86,012	97,465	89,613
2.	29,572	31,730	56,723	64,751	77,781
3.	60	110	120	90	50
4.	140	145	139	241	316
5.	15	15.5	16.7	5.6	7.9
6.	$\frac{1}{6}$	$\frac{2}{20}$ or $\frac{1}{10}$	$\frac{2}{15}$	$\frac{4}{21}$	$\frac{3}{10}$
7.	$\frac{3}{8}$	$\frac{3}{9}$ or $\frac{1}{3}$	$\frac{7}{9}$	$\frac{8}{9}$	$\frac{7}{12}$
8.	$\frac{2}{5}$	$\frac{6}{8}$ or $\frac{3}{4}$	$\frac{1}{8}$	$\frac{1}{8}$	$\frac{2}{5}$
9.	1,722	2,782	8,016	8,652	7,194
10.	44	33	99	143	187

Ninja Challenge: 90

Week 11: Grasshopper

	Monday	Tuesday	Wednesday	Thursday	Friday
1.	306	381	336	313	266
2.	663	712	777	873	903
3.	9	5	7	4	5
4.	24	35	42	77	48
5.	90	50	70	40	50
6.	240	350	420	770	480
7.	22	33	42	52	64
8.	44	66	84	104	128
9.	70	90	110	130	210
10.	700	900	1,100	1,300	2,100

Ninja Challenge: Yes, both equal 50.

Week 11: Shinobi

	Monday	Tuesday	Wednesday	Thursday	Friday
1.	8	12	16	32	2.5
2.	0.8	4.8	5.6	625	700
3.	0.8 or $\frac{4}{5}$	4.8 or $\frac{24}{5}$	5.6 or $\frac{28}{5}$	6,250	7,000
4.	0.8 or $\frac{4}{5}$	4.8 or $\frac{24}{5}$	5.6 or $\frac{28}{5}$	62.5	1,400
5.	0.8 or $\frac{4}{5}$	4.8 or $\frac{24}{5}$	5.6 or $\frac{28}{5}$	625	14
6.	0.8 or $\frac{4}{5}$	4.8 or $\frac{24}{5}$	5.6 or $\frac{28}{5}$	1,250	28
7.	24	26	30	625	2,800
8.	132	130	150	250	300
9.	0.12	1.3	1.5	2.5	3
10.	1.2	1.3	1.5	2.5	3

Ninja Challenge: Yes, the difference is 356,120.

Week 11: Grand Master

	Monday	Tuesday	Wednesday	Thursday	Friday
1.	45,809	12,463	23,453	17,592	11,745
2.	167,253	153,948	164,301	154,212	125,560
3.	0.83	4.87	9.58	8.83	6.83
4.	3,160	350	1,290	890	850
5.	0.79	0.19	2.21	4.32	1.67
6.	$\frac{3}{14}$	$\frac{2}{9}$	$\frac{3}{12}$ or $\frac{1}{4}$	$\frac{3}{10}$	$\frac{4}{15}$
7.	$\frac{2}{3}$	$\frac{2}{4}$ or $\frac{1}{2}$	$\frac{4}{5}$	$\frac{5}{6}$	$\frac{5}{7}$
8.	$\frac{1}{5}$	$\frac{1}{4}$	$\frac{1}{7}$	$\frac{1}{7}$	$\frac{1}{9}$
9.	7,392	4,318	6,664	11,115	17,264
10.	357	462	672	861	987

Ninja Challenge: 154

Week 12: Grasshopper

	Monday	Tuesday	Wednesday	Thursday	Friday
1.	231	222	240	149	590
2.	955	1,001	1,070	1,051	1,126
3.	4	8	9	6	11
4.	28	36	63	21	36
5.	40	80	90	60	110
6.	280	360	630	210	360
7.	46	58	64	77	82
8.	92	116	128	154	164
9.	430	670	1,010	1,110	1,170
10.	4,300	6,700	10,100	11,100	11,700

Ninja Challenge: Yes, both equal 4,800.

Week 12: Shinobi

	Monday	Tuesday	Wednesday	Thursday	Friday
1.	7.5	0.5	0.49	0.46	0.16
2.	320	750	860	144	98
3.	160	375	430	1,440	196
4.	1,600	3,750	4,300	1,452	1,960
5.	16	500	500	14,520	1,974
6.	32	375	430	726	1,974
7.	3,200	875	930	7,260	141
8.	400	500	600	700	800
9.	4	5	6	7	8
10.	4	5	6	7	8

Ninja Challenge: Yes, 488 divided by 4 = 122.

Week 12: Grand Master

	Monday	Tuesday	Wednesday	Thursday	Friday
1.	40	30	50	60	80
2.	360	240	490	840	560
3.	9.893	1.473	4.55	6.27	11.57
4.	300	1,900	500	650	60
5.	0.004	0.045	0.145	0.286	0.226
6.	$\frac{4}{15}$	$\frac{4}{35}$	$\frac{9}{16}$	$\frac{6}{20}$ or $\frac{3}{10}$	$\frac{1}{33}$
7.	$\frac{5}{6}$	$\frac{11}{12}$	$\frac{13}{15}$	$\frac{11}{15}$	$\frac{13}{20}$
8.	$\frac{5}{12}$	$\frac{1}{6}$	$\frac{9}{30}$ or $\frac{3}{10}$	$\frac{2}{6}$ or $\frac{1}{3}$	$\frac{8}{21}$
9.	2,236	952	1,505	783	1,435
10.	15.84	50.4	39.6	96.6	56.1

Ninja Challenge: 420,000

ANSWERS

Week 13: Grasshopper

Monday
1. 1,008
2. 1,317
3. 7
4. 49
5. 70
6. 490
7. 20
8. 10
9. 16
10. 160

Tuesday
1. 497
2. 1,267
3. 6
4. 64
5. 60
6. 640
7. 24
8. 12
9. 27
10. 270

Wednesday
1. 758
2. 1,373
3. 3
4. 25
5. 30
6. 250
7. 26
8. 13
9. 39
10. 390

Thursday
1. 855
2. 1,546
3. 4
4. 32
5. 40
6. 320
7. 34
8. 17
9. 52
10. 520

Friday
1. 799
2. 1,214
3. 7
4. 56
5. 70
6. 560
7. 48
8. 24
9. 78
10. 780

Ninja Challenge
2,700

Week 13: Shinobi

Monday
1. 1.16
2. 72
3. 144
4. 144
5. 144
6. 1,440
7. 9.6
8. 900
9. 9
10. 9

Tuesday
1. 19.16
2. 380
3. 361
4. 36.1
5. 3.61
6. 722
7. 19
8. 190
9. 1.9
10. 1.9

Wednesday
1. 90
2. $\frac{2}{4}$ or $\frac{1}{2}$
3. $\frac{1}{2}$ or 0.5
4. $\frac{1}{2}$ or 0.5
5. $\frac{3}{4}$
6. $\frac{3}{4}$ or 0.75
7. $\frac{3}{4}$
8. $\frac{3}{4}$
9. 72
10. 7.2

Thursday
1. 16
2. $\frac{4}{5}$
3. $\frac{4}{5}$
4. $\frac{4}{5}$ or 0.8
5. $\frac{4}{5}$ or 0.8
6. $\frac{4}{5}$ or 0.8
7. $\frac{16}{20}$ or $\frac{4}{5}$
8. $\frac{2}{5}$
9. 72
10. 7.2

Friday
1. 24
2. $\frac{2}{8}$ or $\frac{1}{4}$
3. $\frac{2}{8}$ or 0.25
4. $\frac{2}{8}$ or $\frac{1}{4}$
5. 0.25 or $\frac{1}{4}$
6. $\frac{3}{8}$
7. $\frac{3}{8}$ or 0.375
8. $\frac{3}{8}$
9. 144
10. 14.4

Ninja Challenge
No, 562 x 6 = 3,372.

Week 13: Grand Master

Monday
1. 90
2. 640
3. 11.6
4. 45
5. 2.453
6. $\frac{2}{6}$ or $\frac{1}{3}$
7. $\frac{9}{12}$ or $\frac{3}{4}$
8. $\frac{4}{21}$
9. 6,885
10. 48

Tuesday
1. 90
2. 1,320
3. 21.5
4. 78
5. 0.417
6. $\frac{4}{20}$ or $\frac{1}{5}$
7. $\frac{11}{10}$ or $1\frac{1}{10}$
8. $\frac{11}{20}$
9. 6,919
10. 110

Wednesday
1. 40
2. 960
3. 12.5
4. 56
5. 0.506
6. $\frac{6}{18}$ or $\frac{1}{3}$
7. $\frac{5}{6}$
8. $\frac{1}{6}$
9. 2,268
10. 75.6

Thursday
1. 70
2. 720
3. 32.3
4. 145
5. 1.154
6. $\frac{1}{14}$
7. $\frac{11}{12}$
8. $\frac{3}{12}$ or $\frac{1}{4}$
9. 3,128
10. 171.6

Friday
1. 60
2. 420
3. 34.9
4. 305
5. 1.067
6. $\frac{6}{36}$ or $\frac{1}{6}$
7. $\frac{19}{20}$
8. $\frac{2}{14}$ or $\frac{1}{7}$
9. 2,970
10. 106.8

Ninja Challenge
101,181

Week 14: Grasshopper

Monday
1. 543
2. 1,356
3. 9
4. 42
5. 90
6. 420
7. 64
8. 32
9. 151
10. 1,510

Tuesday
1. 589
2. 1,740
3. 12
4. 132
5. 120
6. 1,320
7. 84
8. 42
9. 178
10. 1,780

Wednesday
1. 336
2. 1,404
3. 9
4. 72
5. 90
6. 720
7. 52
8. 26
9. 243
10. 2,430

Thursday
1. 94
2. 1,568
3. 11
4. 84
5. 110
6. 840
7. 56
8. 28
9. 339
10. 3,390

Friday
1. 705
2. 2,168
3. 8
4. 144
5. 80
6. 1,440
7. 14
8. 7
9. 504
10. 5,040

Ninja Challenge
46,000

Week 14: Shinobi

Monday
1. 22
2. $\frac{6}{8}$ or $\frac{3}{4}$
3. $\frac{6}{8}$ or $\frac{3}{4}$
4. $\frac{6}{8}$ or $\frac{3}{4}$
5. 0.75
6. 0.75
7. 0.75
8. 0.75 or $\frac{3}{4}$
9. 144
10. 14.4

Tuesday
1. 7.5
2. $\frac{2}{3}$
3. $\frac{4}{6}$ or $\frac{2}{3}$
4. 1
5. 1
6. 1
7. $1\frac{1}{4}$
8. 1.25 or $1\frac{1}{4}$
9. 144
10. 14.4

Wednesday
1. 12.5
2. $\frac{5}{18}$
3. $\frac{5}{18}$
4. 1.5
5. 1.5
6. 1.5
7. 1.5
8. 1.5
9. 144
10. 288

Thursday
1. 12.5
2. $\frac{1}{8}$
3. $\frac{1}{8}$
4. $\frac{1}{8}$
5. 0.125
6. $\frac{3}{16}$
7. $\frac{3}{16}$
8. $\frac{3}{16}$
9. 121
10. 242

Friday
1. 1
2. $\frac{1}{32}$
3. $\frac{1}{32}$
4. $\frac{1}{32}$
5. 10
6. 10
7. 100
8. 1
9. 1
10. 1

Ninja Challenge
70,000

Week 14: Grand Master

Monday
1. 32
2. 135
3. 34.2
4. 30.5
5. 10.67
6. $\frac{2}{28}$ or $\frac{1}{14}$
7. $\frac{7}{12}$
8. $\frac{5}{10}$ or $\frac{1}{2}$
9. 5,678
10. 54

Tuesday
1. 9
2. 86
3. 55.2
4. 41.9
5. 12.49
6. $\frac{9}{24}$ or $\frac{3}{8}$
7. $\frac{5}{30}$
8. $\frac{17}{30}$
9. 11,891
10. 37

Wednesday
1. 45
2. 177
3. 74.4
4. 124
5. 9.09
6. $\frac{2}{36}$ or $\frac{1}{18}$
7. $\frac{14}{24}$ or $\frac{7}{12}$
8. $\frac{2}{24}$ or $\frac{1}{12}$
9. 4,554
10. 39

Thursday
1. 36
2. 82
3. 228.9
4. 234
5. 0.99
6. $\frac{3}{42}$ or $\frac{1}{14}$
7. $\frac{14}{20}$ or $\frac{7}{10}$
8. $\frac{6}{14}$ or $\frac{3}{7}$
9. 13,668
10. 33

Friday
1. 96
2. 294
3. 494.1
4. 436
5. 0.909
6. $\frac{15}{30}$ or $\frac{1}{2}$
7. $\frac{26}{35}$
8. $\frac{1}{12}$
9. 15,836
10. 74

Ninja Challenge
Yes, Iko is correct.

Week 15: Grasshopper

Monday
1. 787
2. 2,355
3. 7
4. 36
5. 360
6. 16
7. 32
8. 8
9. 5,678
10. 3,200

Tuesday
1. 984
2. 1,962
3. 5
4. 49
5. 490
6. 24
7. 48
8. 12
9. 450
10. 4,500

Wednesday
1. 890
2. 1,887
3. 9
4. 64
5. 640
6. 46
7. 92
8. 23
9. 560
10. 5,600

Thursday
1. 92
2. 1,910
3. 11
4. 144
5. 1,440
6. 56
7. 112
8. 28
9. 780
10. 7,800

Friday
1. 902
2. 2,910
3. 7
4. 16
5. 160
6. 64
7. 128
8. 32
9. 980
10. 9,800

Ninja Challenge
No, 10% equals 48, 5% equals 24, 24 plus 48 equals 72.

Week 15: Shinobi

Monday
1. 1
2. $\frac{1}{8}$
3. 0.125
4. $\frac{1}{4}$
5. 20
6. 20
7. 200
8. 18
9. 36
10. 72

Tuesday
1. 1
2. $\frac{1}{2}$
3. 0.5
4. $\frac{1}{2}$ or 0.5
5. 160
6. 160
7. 16
8. 24
9. 48
10. 48

Wednesday
1. 1
2. 1.8
3. 1.8
4. 1.8
5. $\frac{2}{10}$ or $\frac{1}{5}$
6. 0.2
7. $\frac{8}{10}$ or $\frac{4}{5}$
8. 0.8
9. 1.6
10. 16

Thursday
1. $\frac{1}{4}$
2. 84
3. 8.4
4. 8.4
5. $\frac{8}{10}$ or $\frac{4}{5}$
6. 0.8
7. $\frac{4}{5}$
8. 12
9. 24
10. 240

Friday
1. $\frac{6}{10}$ or $\frac{3}{5}$
2. 72
3. 7.2
4. 7.2
5. 7.2
6. 3
7. 3
8. 6
9. 6
10. 6

Ninja Challenge
Yes, $\frac{1}{8}$ of 640 is 80, and 3 x 80 is 240.

Week 15: Grand Master

Monday
1. 27
2. 336
3. 327
4. 0.6
5. 0.05
6. $\frac{12}{24}$ or $\frac{1}{2}$
7. $\frac{19}{20}$
8. $\frac{3}{24}$ or $\frac{1}{8}$
9. 21,576
10. 61

Tuesday
1. 40
2. 429
3. 226.75
4. 5.7
5. 0.054
6. $\frac{1}{24}$
7. $\frac{9}{12}$
8. 0
9. 16,497
10. 42

Wednesday
1. 21
2. 468
3. 261.56
4. 8.6
5. 0.013
6. $\frac{1}{15}$
7. $\frac{7}{9}$
8. $\frac{4}{8}$ or $\frac{1}{2}$
9. 30,352
10. 74

Thursday
1. 44
2. 340
3. 314.24
4. 15.4
5. 0.113
6. $\frac{2}{25}$
7. $\frac{37}{90}$
8. $\frac{7}{12}$
9. 9,937
10. 83

Friday
1. 32
2. 411
3. 392.2
4. 23.7
5. 0.361
6. $\frac{8}{25}$
7. $\frac{6}{10}$ or $\frac{3}{5}$
8. $\frac{2}{9}$
9. 28,170
10. 34

Ninja Challenge
421,111

Arithmetic Ninja 10–11 © Andrew Jennings, 2022

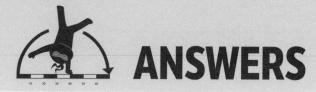

ANSWERS

Monday

	Week 16: Grasshopper	Week 16: Shinobi	Week 16: Grand Master	Week 17: Grasshopper	Week 17: Shinobi	Week 17: Grand Master	Week 18: Grasshopper	Week 18: Shinobi	Week 18: Grand Master
1	936	$\frac{3}{12}$	48	5.2	0.25	37.4	19.5	$\frac{9}{4}$ or $2\frac{1}{4}$	73.2
2	1,992	8	26,492	4	12	316	28.7	$\frac{9}{4}$ or $2\frac{1}{4}$	204
3	6	4	13,961	9	24	3	8	2.25	87,453
4	25	12	52.4	5	240	7.94	8	3	11.56
5	250	24	0.512	50	2.4	$\frac{13}{6}$ or $2\frac{1}{6}$	80	3	$3\frac{1}{4}$ or $\frac{13}{4}$
6	40	36	$\frac{3}{24}$ or $\frac{1}{8}$	32	48	$\frac{6}{15}$ or $\frac{2}{5}$	20	9	$\frac{12}{21}$ or $\frac{4}{7}$
7	80	360	$\frac{13}{20}$	64	2	$\frac{4}{3}$ or $1\frac{1}{3}$	10	0.9	$\frac{5}{6}$
8	120	36	$\frac{7}{15}$	96	2	$\frac{1}{4}$	30	$\frac{9}{10}$ or 0.9	$\frac{1}{30}$
9	67	36	7,258	4,000	2	5,184	4,700	9	2,660
10	670	36	57	40	8	24	47	90	65

Tuesday

	Week 16: Grasshopper	Week 16: Shinobi	Week 16: Grand Master	Week 17: Grasshopper	Week 17: Shinobi	Week 17: Grand Master	Week 18: Grasshopper	Week 18: Shinobi	Week 18: Grand Master
1	945	$\frac{2}{8}$	11	2.6	200	53.9	15.7	$1\frac{1}{4}$	88.8
2	2,080	6	8,910	6.3	100	241	24.7	$1\frac{1}{4}$	345
3	9	3	6,256	6	1,000	3	13	1.75	110,742
4	49	9	31.4	6	10	7.35	9	$\frac{15}{16}$	21.21
5	490	18	62.1	60	1	$\frac{18}{7}$ or $2\frac{4}{7}$	90	1	$3\frac{4}{7}$ or $\frac{25}{7}$
6	50	27	$\frac{2}{15}$	41	1	$\frac{3}{20}$	16	1.2	$\frac{9}{20}$
7	100	270	$\frac{13}{12}$ or $1\frac{1}{12}$	82	$\frac{1}{4}$	$\frac{34}{30}$ or $1\frac{4}{30}$	8	2.4	$\frac{6}{7}$
8	150	27	$\frac{3}{6}$ or $\frac{1}{2}$	123	0.25	$\frac{9}{30}$ or $\frac{3}{10}$	24	$\frac{12}{5}$ or 2.4	$\frac{5}{42}$
9	101	27	2,769	3,000	$\frac{1}{8}$	4,508	5,800	120	1,728
10	1,010	27	142	30	0.125	46	58	120	54

Wednesday

	Week 16: Grasshopper	Week 16: Shinobi	Week 16: Grand Master	Week 17: Grasshopper	Week 17: Shinobi	Week 17: Grand Master	Week 18: Grasshopper	Week 18: Shinobi	Week 18: Grand Master
1	1,051	$\frac{1}{20}$	45	5	600	61.6	24.4	$1\frac{1}{4}$	99.6
2	2,147	9	9,958	13	300	354	30.1	$1\frac{1}{4}$	472
3	8	4.5	8,671	8	3,000	8	18	4.25	89,995
4	16	13.5	72.1	9	6,000	8.26	12	$\frac{17}{4}$ or 4.25	20.82
5	160	27	0.721	90	600	$\frac{5}{2}$ or $2\frac{1}{2}$	120	1	$3\frac{3}{8}$ or $\frac{27}{8}$
6	30	40.5	$\frac{1}{12}$	27	24	$\frac{3}{15}$ or $\frac{1}{5}$	14	1.8	$\frac{15}{24}$ or $\frac{5}{8}$
7	60	405	$1\frac{2}{12}$ or $\frac{7}{6}$	54	$\frac{2}{5}$	$\frac{40}{42}$ or $\frac{20}{21}$	7	3.6	$\frac{8}{10}$ or $\frac{4}{5}$
8	90	40.5	$\frac{1}{10}$	81	0.4	$\frac{1}{12}$	21	$\frac{18}{5}$ or 3.6	$\frac{3}{49}$
9	71	18	19,575	1,000	$\frac{3}{10}$	4,611	6,400	180	1,242
10	710	18	54	10	0.3	36	64	180	69

Thursday

	Week 16: Grasshopper	Week 16: Shinobi	Week 16: Grand Master	Week 17: Grasshopper	Week 17: Shinobi	Week 17: Grand Master	Week 18: Grasshopper	Week 18: Shinobi	Week 18: Grand Master
1	992	0.5	9	2.9	900	25.3	24.9	$\frac{2}{6}$ or $\frac{1}{3}$	118.8
2	2,761	7	4,958	15	450	352	31.1	$\frac{2}{6}$ or $\frac{1}{3}$	534
3	3	3.5	4,709	4	4,500	5	13	$\frac{2}{6}$ or $\frac{1}{3}$	102,303
4	40	10.5	173.2	7	45,000	7.24	8	5.25	17.52
5	400	21	1.732	70	900	$\frac{9}{4}$ or $2\frac{1}{4}$	80	1	$4\frac{1}{4}$ or $\frac{17}{4}$
6	20	31.5	$\frac{2}{15}$	18	360	$\frac{12}{45}$ or $\frac{4}{15}$	8	45	$\frac{3}{24}$ or $\frac{1}{8}$
7	40	315	$1\frac{2}{6}$ or $\frac{4}{3}$	36	$\frac{2}{8}$ or $\frac{1}{4}$	$\frac{20}{21}$	4	90	$\frac{12}{15}$ or $\frac{4}{5}$
8	60	31.5	0	54	$\frac{4}{16}$ or $\frac{1}{4}$	$\frac{7}{18}$	12	90	$\frac{5}{24}$
9	56	32	10,098	1,500	2.5	2,958	7,800	450	459
10	560	32	36	15	$\frac{5}{2}$ or 2.5	34	78	450	36

Friday

	Week 16: Grasshopper	Week 16: Shinobi	Week 16: Grand Master	Week 17: Grasshopper	Week 17: Shinobi	Week 17: Grand Master	Week 18: Grasshopper	Week 18: Shinobi	Week 18: Grand Master
1	754	0.5	56	5.5	600	67.1	22.3	0	93.6
2	2,842	12	10,734	18.7	625	198	24.1	0	649
3	8	6	10,352	8	62.5	8	29	0	122,765
4	42	18	324.5	9	6.25	7.11	11	14.25	13.03
5	420	48	3.245	90	6.25	$\frac{5}{2}$ or $2\frac{1}{2}$	110	$\frac{1}{2}$	$5\frac{1}{5}$ or $\frac{26}{5}$
6	90	66	$\frac{6}{20}$ or $\frac{3}{10}$	15	3.125	$\frac{8}{15}$	42	0.45	$\frac{5}{21}$
7	180	6.6	1 or $\frac{9}{9}$	30	$\frac{3}{12}$ or $\frac{1}{4}$	$\frac{5}{}$	21	0.9	$\frac{10}{12}$ or $\frac{5}{6}$
8	270	13.2	$\frac{11}{14}$	45	$\frac{1}{4}$	$\frac{2}{6}$ or $\frac{1}{3}$	63	$\frac{9}{5}$ or 1.8	$\frac{7}{27}$
9	252	132	6,721	3,200	0.5	3,312	9,800	1,200	1,456
10	2,520	132	25	32	$\frac{1}{2}$	65	98	1,200	48

Ninja Challenge

Week 16: Grasshopper	Week 16: Shinobi	Week 16: Grand Master	Week 17: Grasshopper	Week 17: Shinobi	Week 17: Grand Master	Week 18: Grasshopper	Week 18: Shinobi	Week 18: Grand Master
2,100	449,996	1,191	No, the total is 90,000.	No, 54,003 is 17,200 more than 36,803.	No, the total is 607,868.	2,598	No, 40% of 940 is equal to 376.	120,000

ANSWERS

Week 19: Grasshopper

Monday
1. 1.5
2. 5.8
3. 5
4. 11
5. 110
6. 62
7. 31
8. 93
9. 160
10. 54

Tuesday
1. 2.3
2. 7.8
3. 12
4. 12
5. 120
6. 48
7. 24
8. 72
9. 144
10. 34

Wednesday
1. 3.5
2. 9.8
3. 16
4. 12
5. 120
6. 34
7. 17
8. 51
9. 252
10. 47

Thursday
1. 3.8
2. 14.4
3. 7
4. 12
5. 120
6. 84
7. 42
8. 126
9. 185
10. 73

Friday
1. 5.8
2. 18.4
3. 15
4. 6
5. 60
6. 44
7. 22
8. 66
9. 224
10. 58

Ninja Challenge
3,897

Week 19: Shinobi

Monday
1. 0
2. 0
3. 0
4. 13.71
5. $\frac{1}{2}$
6. $\frac{5}{4}$ or 1.25
7. $\frac{5}{2}$ or 2.5
8. $\frac{15}{4}$ or 3.75
9. $\frac{75}{2}$ or 37.5
10. $\frac{25}{2}$ or 12.5

Tuesday
1. 8
2. 6
3. 4
4. $\frac{15}{2}$ or 7.5
5. $\frac{15}{2}$ or 7.5
6. 500
7. 5,000
8. 5
9. $\frac{1}{2}$ or 0.5
10. 5

Wednesday
1. 14
2. 1.4
3. 15.4
4. 30.8
5. 308
6. 7
7. 14
8. 1.4
9. 2.8
10. 28

Thursday
1. 81
2. 0.9
3. 81.9
4. 819
5. 81.9
6. 8
7. 16
8. 1.6
9. 3.2
10. 32

Friday
1. 36
2. 3
3. 39
4. 390
5. 3.9
6. 9
7. 18
8. 1.8
9. 3.6
10. 36

Ninja Challenge
40,000

Week 19: Grand Master

Monday
1. 46.8
2. 362
3. 30,949
4. 31.77
5. $3\frac{2}{5}$ or $\frac{17}{5}$
6. $\frac{10}{18}$ or $\frac{5}{9}$
7. $\frac{6}{12}$ or $\frac{1}{2}$
8. $\frac{1}{27}$
9. 12.25
10. 323.4

Tuesday
1. 53.3
2. 398
3. 20,786
4. 37.34
5. $1\frac{2}{5}$ or $\frac{7}{5}$
6. $\frac{1}{18}$
7. $\frac{6}{9}$ or $\frac{2}{3}$
8. $\frac{1}{54}$
9. 34.38
10. 437.1

Wednesday
1. 72.8
2. 564
3. 7,996
4. 58.77
5. $\frac{3}{5}$
6. $\frac{1}{12}$
7. $\frac{3}{15}$ or $\frac{1}{5}$
8. $\frac{5}{18}$
9. 55.84
10. 1,236.5

Thursday
1. 87.1
2. 769
3. 21,897
4. 84.48
5. $\frac{4}{6}$ or $\frac{2}{3}$
6. $\frac{2}{16}$ or $\frac{1}{8}$
7. $\frac{9}{13}$
8. $\frac{7}{40}$
9. 104.04
10. 789.8

Friday
1. 119.6
2. 572
3. 1,920
4. 106.07
5. $1\frac{2}{3}$ or $\frac{5}{3}$
6. $\frac{6}{20}$ or $\frac{3}{10}$
7. $\frac{6}{9}$ or $\frac{2}{3}$
8. $\frac{7}{30}$
9. 126.24
10. 650.9

Ninja Challenge
Yes, $\frac{1}{6}$ of 3,600 is 600, and 4 x 600 is 2,400.

Week 20: Grasshopper

Monday
1. 8.8
2. 21.6
3. 10
4. 5
5. 20
6. 10
7. 20
8. 40
9. 152
10. 45

Tuesday
1. 6.3
2. 24.1
3. 8
4. 10
5. 50
6. 20
7. 40
8. 80
9. 184
10. 76

Wednesday
1. 7.9
2. 23.4
3. 11
4. 4
5. 30
6. 32
7. 64
8. 128
9. 260
10. 78

Thursday
1. 10.3
2. 23.3
3. 7
4. 8
5. 70
6. 46
7. 92
8. 184
9. 188
10. 84

Friday
1. 10.8
2. 25.9
3. 5
4. 20
5. 40
6. 52
7. 104
8. 208
9. 168
10. 89

Ninja Challenge
No, 35% of 360 is equal to 126.

Week 20: Shinobi

Monday
1. 144
2. 14.4
3. 288
4. 288
5. 144
6. 12
7. 24
8. 240
9. 2.4
10. 216

Tuesday
1. 4
2. 396
3. 792
4. 495
5. 990
6. 60
7. 60
8. 60
9. 120
10. 100

Wednesday
1. 6
2. 594
3. 297
4. 693
5. 9.9
6. 100
7. 100
8. 100
9. 200
10. 1,000

Thursday
1. 65
2. 130
3. 13
4. 195
5. 52
6. 140
7. 140
8. 140
9. 280
10. 1,400

Friday
1. 45
2. 90
3. 9
4. 36
5. 126
6. 360
7. 360
8. 360
9. 720
10. 3,600

Ninja Challenge
6,588

Week 20: Grand Master

Monday
1. 220.8
2. 5,526
3. 77.1
4. 0.943
5. $3\frac{3}{6}$ or $\frac{7}{2}$
6. $\frac{9}{20}$
7. $\frac{8}{11}$
8. $\frac{7}{100}$
9. 189.36
10. 6.509

Tuesday
1. 177.6
2. 2,387
3. 77.35
4. 0.855
5. $\frac{10}{14}$ or $\frac{5}{7}$
6. $\frac{3}{32}$
7. $\frac{4}{9}$
8. $\frac{5}{42}$
9. 179.92
10. 7.854

Wednesday
1. 127.2
2. 6,760
3. 47.69
4. 0.726
5. $\frac{4}{12}$ or $\frac{1}{3}$
6. $\frac{3}{25}$
7. $\frac{20}{21}$
8. $\frac{5}{63}$
9. 291.75
10. 8.734

Thursday
1. 160.8
2. 6,804
3. 47.96
4. 0.683
5. $\frac{10}{15}$ or $\frac{2}{3}$
6. $\frac{20}{35}$ or $\frac{4}{7}$
7. $\frac{6}{21}$ or $\frac{2}{7}$
8. $\frac{5}{20}$ or $\frac{1}{4}$
9. 238.37
10. 8.698

Friday
1. 187.2
2. 3,304
3. 48.44
4. 0.439
5. $\frac{13}{14}$
6. $\frac{1}{6}$
7. $\frac{6}{8}$ or $\frac{3}{4}$
8. $\frac{1}{26}$
9. 420.07
10. 8.721

Ninja Challenge
No, 47% of 1,900 is equal to 893.

Week 21: Grasshopper

Monday
1. 820
2. 2,928
3. 50
4. 200
5. 50
6. 150
7. 300
8. 600
9. 396
10. 34

Tuesday
1. 394
2. 4,700
3. 150
4. 120
5. 80
6. 100
7. 200
8. 400
9. 693
10. 42

Wednesday
1. 1,930
2. 5,011
3. 155
4. 105
5. 80
6. 120
7. 240
8. 480
9. 1,266
10. 57

Thursday
1. 3,056
2. 5,024
3. 60
4. 110
5. 90
6. 140
7. 280
8. 560
9. 1,569
10. 64

Friday
1. 4,969
2. 6,993
3. 75
4. 125
5. 90
6. 190
7. 380
8. 760
9. 1,896
10. 65

Ninja Challenge
Both have 163,800.

Week 21: Shinobi

Monday
1. 250
2. 25
3. 250
4. 250
5. 250
6. 45
7. 4.5
8. 4.5
9. 225
10. 22.5

Tuesday
1. 250
2. 500
3. 50
4. 250
5. 250
6. 225
7. 22.5
8. 2.25
9. 2.25
10. 2.25

Wednesday
1. 5
2. 50
3. 25
4. 25
5. 4,000
6. 400
7. 40
8. 40
9. 4
10. 4

Thursday
1. 9
2. 90
3. 45
4. 450
5. 225
6. 225
7. 22.5
8. 22.5
9. 45
10. 2.25

Friday
1. 11
2. 22
3. 110
4. 1,100
5. 5.5
6. 400
7. 375
8. 37.5
9. 3.75
10. 3.75

Ninja Challenge
Yes, $\frac{1}{7}$ of 350 is 50, and 3 x 50 is 150.

Week 21: Grand Master

Monday
1. 249.6
2. 2,536
3. 11.5
4. 98.44
5. $\frac{11}{14}$
6. 3,200
7. 1
8. $\frac{1}{40}$
9. 2,108
10. 8.172

Tuesday
1. 134.4
2. 1,170
3. 21.3
4. 88.55
5. $\frac{4}{6}$ or $\frac{1}{3}$
6. 2,100
7. $\frac{9}{12}$ or $\frac{3}{4}$
8. $\frac{4}{25}$
9. 3,423
10. 6.321

Wednesday
1. 323.34
2. 1,764
3. 23.4
4. 67.36
5. $\frac{7}{30}$
6. 4,500
7. $\frac{4}{9}$
8. $\frac{4}{24}$ or $\frac{1}{6}$
9. 7,452
10. 7.545

Thursday
1. 403.2
2. 6,615
3. 28.9
4. 48.01
5. $\frac{23}{20}$ or $1\frac{3}{20}$
6. 4,800
7. $\frac{2}{9}$
8. $\frac{4}{35}$
9. 6,018
10. 7.391

Friday
1. 270.9
2. 3,378
3. 17.8
4. 23.18
5. $\frac{18}{30}$ or $\frac{3}{5}$
6. 6,600
7. $\frac{8}{32}$
8. $\frac{7}{32}$
9. 9,169
10. 9.811

Ninja Challenge
499,080

Arithmetic Ninja 10–11 © Andrew Jennings, 2022

Week 22–24 Answers

	Week 22: Grasshopper	Week 22: Shinobi	Week 22: Grand Master	Week 23: Grasshopper	Week 23: Shinobi	Week 23: Grand Master	Week 24: Grasshopper	Week 24: Shinobi	Week 24: Grand Master
Monday 1	287,877	0.8	152,118	320.2	9	550,392	8.37	2.66	315,331
2	238,857	1.6	278,865	157.53	4.5	418,288	86.4	24,810	296,210
3	21	2.4	1,537	30	13.5	1,143	180	$\frac{2}{6}$	65,703
4	$\frac{27}{20}$ or $1\frac{7}{20}$	500	2,072	$\frac{16}{10}$ or $1\frac{6}{10}$	135	384	$\frac{2}{6}$	$\frac{2}{5}$	283,794
5	$3\frac{4}{8}$	1,000	$\frac{3}{5}$	$3\frac{3}{5}$	1,000	$\frac{8}{10}$	$3\frac{1}{8}$	$\frac{4}{10}$	$\frac{12}{15}$
6	5,364	2,000	$\frac{1}{28}$	345	1,125	$\frac{4}{15}$	49.5	0.4	$\frac{3}{10}$
7	43.2	4,000	154	882	2,250	640	3,168	4	2,280
8	5	8,000	7.43	150	4,500	28.7	178	4	46
9	$\frac{3}{16}$	800	2,700	$\frac{10}{63}$	9,000	560	$\frac{9}{81}$	2	$\frac{13}{8}$ or $1\frac{5}{8}$
10	163	1,600	14,570	253	9,125	$\frac{4}{25}$	511	2	$\frac{10}{30}$
Tuesday 1	296,036	0.7	111,089	80.4	0.6	360,377	4.69	54	401,412
2	336,407	1.4	399,977	159.03	1.2	507,372	74.7	5.4	310,821
3	40	4.9	1,504	42	3.6	972	120	5.4	102,441
4	$\frac{16}{15}$ or $1\frac{1}{15}$	0.7	1,876	$\frac{31}{18}$ or $1\frac{13}{18}$	0.6	675	$\frac{6}{20}$	5.4	76,305
5	$3\frac{1}{5}$	1.4	$\frac{6}{9}$	$5\frac{5}{9}$	1.2	$\frac{6}{11}$	$3\frac{3}{9}$	54	$\frac{6}{7}$
6	6,692	4.9	$\frac{5}{14}$	924	3.6	$\frac{4}{10}$	37.4	540	$\frac{2}{7}$
7	17.8	0.7	105.6	1,632	0.6	380	1,576	0.7	2,440
8	14	1.4	8.09	78	1.2	31.9	2,540	1.4	36
9	$\frac{8}{15}$	2.1	2,100	$\frac{35}{54}$	3.6	450	$\frac{35}{90}$	4.9	$\frac{28}{30}$
10	412	4.9	10,690	541	7.2	$\frac{1}{10}$	674	8.4	$\frac{20}{60}$
Wednesday 1	466,869	81	319,826	105.14	121	442,483	2.95	196	712,334
2	537,578	40.5	357,888	202.13	60.5	316,339	36.3	19.6	203,312
3	15	405	1,323	45	605	1,902	250	392	211,421
4	$\frac{18}{12}$ or $1\frac{6}{12}$	810	2,790	$\frac{16}{14}$ or $1\frac{2}{14}$	60.5	536	$\frac{2}{9}$	1.96	372,174
5	4	8,100	$\frac{9}{10}$	$7\frac{2}{10}$	1,210	$\frac{4}{5}$	$5\frac{1}{11}$	14	$\frac{6}{9}$
6	9,486	90	$\frac{2}{8}$	864	110	$\frac{3}{12}$	83.6	140	$\frac{6}{21}$
7	27.3	0.9	240.6	1,575	1.1	520	2,907	1.4	2,080
8	98	0.9	6.16	980	1.1	40.1	4,030	1.4	44
9	$\frac{4}{40}$	1.8	2,700	$\frac{35}{72}$	2.2	150	$\frac{12}{80}$	2.8	$\frac{10}{18}$
10	563	90	11,450	631	110	$\frac{2}{15}$	706	140	$\frac{8}{30}$
Thursday 1	417,788	49	541,217	168.01	169	188,329	1.16	64	627,712
2	806,821	24.5	615,214	202.71	84.5	810,224	26.2	128	555,904
3	36	245	1,403	42	845	3,059	450	256	73,912
4	$\frac{21}{12}$ or $1\frac{9}{12}$	490	972	$\frac{25}{14}$ or $1\frac{11}{14}$	1,690	532	$\frac{6}{10}$	2,560	83,194
5	$6\frac{3}{10}$	49	$\frac{12}{13}$	$6\frac{6}{11}$	169	$\frac{8}{10}$	$3\frac{8}{10}$	25.6	$\frac{8}{10}$
6	19,386	4.9	$\frac{2}{40}$	1,386	16.9	$\frac{3}{16}$	97.9	729	$\frac{3}{24}$
7	34.8	4.9	390.4	3,164	16.9	620	3,336	729	3,280
8	156	4.9	9.04	1,560	1.3	59.1	12,300	1.6	68
9	$\frac{18}{66}$	98	2,400	$\frac{10}{80}$	2.6	600	$\frac{12}{77}$	3.2	$1\frac{7}{16}$
10	413	9.8	20,560	712	156	$\frac{10}{21}$	883	6.4	$\frac{14}{50}$
Friday 1	360,731	1.2	221,031	224.83	1.5	165,477	0.99	3.5	194,312
2	760,949	2.4	637,789	255.3	3	301,003	49.8	7	401,295
3	48	14.4	2,585	45	15	3,144	350	35	582,927
4	$\frac{12}{9}$ or $1\frac{3}{9}$	1.2	1,824	$\frac{5}{4}$ or $1\frac{1}{4}$	7.5	738	$\frac{8}{12}$	17.5	838,907
5	$7\frac{1}{9}$	2.4	$\frac{8}{10}$	$3\frac{9}{10}$	22.5	$\frac{12}{15}$	$7\frac{1}{9}$	52.5	$\frac{6}{7}$
6	27,369	14.4	$\frac{4}{20}$	1,620	225	$\frac{3}{12}$	72.6	105	$\frac{6}{8}$
7	45.1	14.4	170.5	4,608	225	1,140	4,501	$\frac{6}{16}$	2,480
8	214	28.8	8.72	178	15	60.1	5,340	1.5	108
9	$\frac{48}{63}$	2,880	5,600	$\frac{2}{63}$	1.5	540	$\frac{30}{108}$	150	$1\frac{4}{9}$
10	395	28,800	17,040	662	150	$\frac{6}{12}$	749	150	$\frac{14}{24}$
Ninja Challenge	473,382	Yes, Sam is correct; 48,000 divided by 6 = 8,000.	60	No, Tom is incorrect; 10% = 140. 140 x 6 = 840.	546,610	4,692	No, Tom is incorrect; they are equal: 50,000.	No, Tom is incorrect; $\frac{1}{9}$ of 720 is 80, and 7 x 80 is 560.	70,000

ANSWERS

Week 25: Grasshopper

Monday
1. 60
2. 5
3. 200
4. $4\frac{3}{6}$
5. 37.4
6. 14.4
7. 50.6
8. $\frac{6}{24}$
9. 407
10. 1,035

Tuesday
1. 152
2. 11
3. 100
4. $5\frac{3}{9}$
5. 18.7
6. 18
7. 80.5
8. $\frac{4}{15}$
9. 337
10. 1,591

Wednesday
1. 90
2. 12
3. 720
4. $5\frac{3}{8}$
5. 16.5
6. 22.8
7. 52.9
8. $\frac{4}{32}$
9. 613
10. 2,193

Thursday
1. 102
2. 4
3. 180
4. $6\frac{3}{4}$
5. 34.1
6. 50.4
7. 124.2
8. $\frac{2}{40}$
9. 459
10. 2,646

Friday
1. 252
2. 21
3. 270
4. $5\frac{2}{5}$
5. 27.5
6. 52.8
7. 46
8. $\frac{15}{40}$
9. 616
10. 1,984

Ninja Challenge
Yes, Sam is correct; 2,800 is greater than 2,700.

Week 25: Shinobi

Monday
1. 6.01
2. 31,600
3. $\frac{6}{16}$ or $\frac{3}{8}$
4. $\frac{3}{8}$
5. $\frac{9}{24}$ or $\frac{3}{8}$
6. 0.375
7. 3.75
8. 37.5
9. 37.5
10. 75

Tuesday
1. 63
2. 6.3
3. 6.3
4. 6.3
5. 630
6. 630
7. 2.5
8. 5
9. 5
10. 5

Wednesday
1. 600
2. 625
3. 62.5
4. 62.5
5. 6.25
6. 250
7. 2.5
8. 2.5
9. 5
10. 250

Thursday
1. 380
2. 361
3. 722
4. 3,610
5. 36.1
6. 64
7. 64
8. 1.9
9. 3.8
10. 7.6

Friday
1. 9.5
2. 19
3. 95
4. 190
5. 4.5
6. 45
7. $\frac{4}{10}$
8. $\frac{4}{10}$
9. 0.4
10. 1.6

Ninja Challenge
No, Cho is incorrect; $\frac{1}{6}$ of 720 is 120, and 5 x 120 is 600.

Week 25: Grand Master

Monday
1. 728,234
2. 204,382
3. 299,388
4. 102,221
5. $\frac{2}{4}$
6. $\frac{2}{20}$
7. 1,400
8. 1,600
9. $1\frac{5}{12}$
10. $\frac{6}{15}$

Tuesday
1. 493,221
2. 314,367
3. 617,332
4. 902,293
5. $\frac{5}{9}$
6. $\frac{5}{18}$
7. 820
8. 710
9. $1\frac{5}{8}$
10. $\frac{10}{42}$

Wednesday
1. 301,211
2. 455,414
3. 111,111
4. 949,494
5. $\frac{10}{12}$
6. $\frac{3}{16}$
7. 450
8. 280
9. $1\frac{4}{9}$
10. $\frac{18}{40}$

Thursday
1. 150,593
2. 627,111
3. 529,212
4. 803,321
5. $\frac{14}{15}$
6. $\frac{7}{18}$
7. 240
8. 340
9. $1\frac{5}{10}$
10. $\frac{15}{36}$

Friday
1. 93,203
2. 47,493
3. 56,044
4. 87,361
5. $\frac{9}{12}$
6. $\frac{5}{50}$
7. 210
8. 150
9. $1\frac{3}{7}$
10. $\frac{6}{42}$

Ninja Challenge
No, Cho is incorrect. The answer is 165,605.

Week 26: Grasshopper

Monday
1. 195
2. 8
3. 2,700
4. 32.2
5. 60
6. 105
7. 70
8. $2\frac{1}{10}$
9. 723
10. 3,266

Tuesday
1. 580
2. 3.9
3. 900
4. 63.84
5. 36.4
6. 88.4
7. 140.8
8. $\frac{12}{8}$ or 2
9. 473
10. 3,432

Wednesday
1. 840
2. 33
3. 2,100
4. 52.25
5. 66
6. 79.2
7. 109.2
8. $\frac{19}{6}$ or $3\frac{1}{6}$
9. 533
10. 3,432

Thursday
1. 4,590
2. 13
3. 2,700
4. 80.64
5. 49.4
6. 158.6
7. 176.8
8. $\frac{59}{20}$ or $2\frac{19}{20}$
9. 447
10. 4,960

Friday
1. 728
2. 7
3. 1,800
4. 87.15
5. 32.5
6. 75.4
7. 161.2
8. $\frac{25}{8}$ or $3\frac{1}{8}$
9. 501
10. 7,686

Ninja Challenge
110,294

Week 26: Shinobi

Monday
1. 0.3
2. 29,000
3. $\frac{6}{20}$
4. $\frac{3}{10}$
5. 0.3
6. $\frac{3}{10}$
7. $2\frac{1}{4}$
8. 2.25
9. 22.5
10. 225

Tuesday
1. $\frac{3}{4}$
2. 0.75
3. 7.5
4. 7.5
5. 3
6. 3
7. 30
8. 60
9. 60
10. 6

Wednesday
1. 800
2. 1,600
3. 3,200
4. 320
5. 320
6. 50
7. 0.5
8. 0.5
9. 1
10. 50

Thursday
1. 297
2. 396
3. 3,960
4. 4,000
5. 40
6. 125
7. 125
8. 50
9. 500
10. 0.5

Friday
1. 0.9
2. 1.8
3. 2.7
4. 5.4
5. 12
6. 120
7. $\frac{3}{10}$
8. $\frac{3}{10}$
9. 0.3
10. 0.3

Ninja Challenge
8,000

Week 26: Grand Master

Monday
1. 92
2. 552
3. 738
4. 4
5. 15
6. 42
7. 24
8. 90
9. 5,400
10. 10,000

Tuesday
1. 104
2. 504
3. 684
4. 3
5. 45
6. 72
7. 25
8. 210
9. 3,600
10. 20,000

Wednesday
1. 201
2. 104
3. 273
4. 14
5. 75
6. 114
7. 45
8. 640
9. 2,400
10. 30,000

Thursday
1. 162
2. 284
3. 441
4. 17
5. 110
6. 156
7. 35
8. 720
9. 1,800
10. 35,000

Friday
1. 28.8
2. 33.6
3. 54.6
4. 7.4
5. 31
6. 23.4
7. 35
8. 720
9. 2,700
10. 54,000

Ninja Challenge
789,199

Week 27: Grasshopper

Monday
1. 368
2. 8
3. 2,100
4. 54
5. 62.4
6. $\frac{11}{8}$ or $1\frac{3}{8}$
7. 23
8. 251
9. 656
10. $\frac{6}{9}$

Tuesday
1. 230
2. 15
3. 1,000
4. 53.3
5. 39.9
6. $\frac{17}{10}$ or $1\frac{7}{10}$
7. 35
8. 354
9. 3,678
10. $\frac{10}{12}$

Wednesday
1. 1,316
2. 8
3. 3,500
4. 62.9
5. 57.6
6. $\frac{14}{9}$ or $1\frac{5}{9}$
7. 42
8. 429
9. 4,672
10. $\frac{7}{9}$

Thursday
1. 450
2. 3
3. 4,900
4. 37.8
5. 241.8
6. $\frac{19}{10}$ or $1\frac{9}{10}$
7. 35
8. 378
9. 3,784
10. $\frac{12}{14}$

Friday
1. 297
2. 13
3. 2,800
4. 96.9
5. 214.4
6. $\frac{8}{6}$ or $1\frac{2}{6}$
7. 42
8. 459
9. 3,759
10. $\frac{8}{10}$

Ninja Challenge
670,002

Week 27: Shinobi

Monday
1. 0.6
2. 34,000
3. $\frac{6}{30}$ or $\frac{2}{10}$
4. $\frac{3}{15}$
5. 0.2
6. 0.4
7. $3\frac{1}{4}$
8. 3.25
9. 32.5
10. 325

Tuesday
1. $1\frac{1}{4}$
2. 1.25
3. 12.5
4. 12.5
5. 5
6. 5
7. 50
8. 100
9. 100
10. 10

Wednesday
1. 10,000
2. 10
3. 20
4. 2
5. 2
6. 70
7. 0.7
8. 0.7
9. 1.4
10. 70

Thursday
1. 594
2. 792
3. 7,920
4. 64,000
5. 640
6. 27
7. 27
8. 30
9. 300
10. 0.3

Friday
1. 0.4
2. 0.8
3. 1.2
4. 2.4
5. 6
6. 60
7. $\frac{3}{12}$ or $\frac{1}{4}$
8. $\frac{1}{4}$
9. 0.25
10. 1

Ninja Challenge
No, Sam is incorrect; 20 – 14.48 = 5.52.

Week 27: Grand Master

Monday
1. 140
2. 210
3. 320
4. 230
5. 23
6. 11.4
7. 350
8. 7,200
9. 27,000
10. 540,000

Tuesday
1. 240
2. 620
3. 460
4. 190
5. 23
6. 11.4
7. 160
8. 5,600
9. 4,000
10. 480,000

Wednesday
1. 120
2. 60
3. 80
4. 420
5. 28
6. 35.4
7. 180
8. 2,000
9. 36,000
10. 200,000

Thursday
1. 170
2. 120
3. 150
4. 250
5. 36
6. 8.4
7. 60
8. 1,000
9. 8,000
10. 480,000

Friday
1. 260
2. 580
3. 290
4. 170
5. 12
6. 30.6
7. 300
8. 3,600
9. 28,000
10. 480,000

Ninja Challenge
220

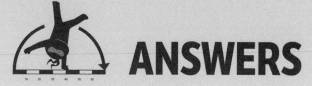

ANSWERS

	Week 28: Grasshopper	Week 28: Shinobi	Week 28: Grand Master	Week 29: Grasshopper	Week 29: Shinobi	Week 29: Grand Master	Week 30: Grasshopper	Week 30: Shinobi	Week 30: Grand Master

Monday

#	W28 Grasshopper	W28 Shinobi	W28 Grand Master	W29 Grasshopper	W29 Shinobi	W29 Grand Master	W30 Grasshopper	W30 Shinobi	W30 Grand Master
1	2,700	4.6	450	280	65	0.85	16	69	1,403
2	90	83,000	126	21	6.5	9.19	98	6.9	3.56
3	156	$\frac{5}{30}$	0.26	42	$\frac{1}{4}$	6.1	270	$\frac{1}{8}$	2.33
4	513	$\frac{15}{90}$	3,400	16	0.25	670,000	198	0.125	9.517
5	32	0.3	13,400	27	2.5	8,530	45	1.25	0.56
6	265	0.6	10,100	229	2.5	150,340	664	1.25	560,430
7	1,045	$4\frac{1}{4}$	10,301	6,318	2.5	23,940	6,156	1.25	506
8	$\frac{6}{7}$	4.25	560	$\frac{14}{16}$	$\frac{1}{8}$	609	$\frac{6}{14}$	$\frac{1}{16}$	$\frac{4}{10}$
9	$\frac{3}{14}$	42.5	767	$\frac{4}{54}$	0.125	17.05	$\frac{4}{20}$	0.0625	$\frac{6}{9}$
10	$\frac{3}{14}$	425	0.106	$\frac{20}{30}$	1.25	509	$\frac{2}{10}$	0.125	$\frac{3}{27}$

Tuesday

#	W28 Grasshopper	W28 Shinobi	W28 Grand Master	W29 Grasshopper	W29 Shinobi	W29 Grand Master	W30 Grasshopper	W30 Shinobi	W30 Grand Master
1	1,800	$4\frac{1}{2}$	160	360	3	0.61	48	22.5	23,405
2	124	$2\frac{1}{4}$	198	27	$3\frac{1}{4}$	8.93	77	225	2.15
3	114	2.25	0.39	84	3.25	8.9	360	3.25	0.06
4	405	22.5	2,700	56	32.5	510,000	270	22.5	7.598
5	31	9	21,900	32	13	8,550	41	90	0.17
6	306	9	11,111	274	13	240,470	742	9	601,220
7	1,410	90	10.82	3,686	130	34,380	9,614	90	617
8	$\frac{9}{10}$	180	960	$\frac{18}{20}$	260	773	$\frac{6}{10}$	180	$\frac{6}{15}$
9	$\frac{1}{18}$	180	591	$\frac{9}{36}$	260	21.08	$\frac{4}{40}$	180	$\frac{4}{7}$
10	$\frac{4}{25}$	18	0.145	$\frac{4}{15}$	26	662	$\frac{2}{10}$	18	$\frac{1}{5}$

Wednesday

#	W28 Grasshopper	W28 Shinobi	W28 Grand Master	W29 Grasshopper	W29 Shinobi	W29 Grand Master	W30 Grasshopper	W30 Shinobi	W30 Grand Master
1	1,400	20,000	570	240	600	0.89	66	300	20,366
2	196	300	218	42	300	1.67	168	1,200	3.85
3	36	600	0.45	126	900	6.5	615	2,400	7.48
4	513	60	3,600	84	90	460,000	306	240	8.659
5	33	6	14,500	56	9	6,710	67	24	0.63
6	411	6	11,100	319	9	310,240	183	24	730,290
7	10,017	8	11.374	4,884	12	47,530	14,801	24	775
8	$\frac{4}{5}$	8	349,000	$\frac{18}{20}$	12	916	$\frac{12}{15}$	2.4	$\frac{20}{30}$
9	$\frac{3}{8}$	80	741	$\frac{1}{15}$	120	33.71	$\frac{8}{18}$	4.8	$\frac{4}{10}$
10	$\frac{16}{30}$	80	0.206	$\frac{8}{15}$	120	192	$\frac{18}{30}$	48	$\frac{4}{10}$

Thursday

#	W28 Grasshopper	W28 Shinobi	W28 Grand Master	W29 Grasshopper	W29 Shinobi	W29 Grand Master	W30 Grasshopper	W30 Shinobi	W30 Grand Master
1	2,100	891	610	100	108	0.16	36	729	21,284
2	162	89.1	417	51	216	4.31	133	72.9	5.49
3	66	8,910	0.77	168	432	9.1	615	1,458	5.21
4	441	81,000	9,400	148	100,000	630,000	423	2,916	5.895
5	35	810	34,100	42	1,000	1,940	72	162	0.17
6	563	64	12,012	713	343	830,320	371	512	560,360
7	6,692	64	14.372	8,325	343	56,380	14,056	512	809
8	$\frac{10}{12}$	80	518,000	$\frac{12}{14}$	70	117	$\frac{9}{11}$	80	$\frac{15}{36}$
9	$\frac{3}{30}$	800	1,334	$\frac{1}{24}$	700	29.05	$\frac{4}{10}$	800	$\frac{9}{10}$
10	$\frac{8}{35}$	0.8	0.315	$\frac{4}{25}$	0.7	359	$\frac{2}{30}$	0.8	$\frac{9}{20}$

Friday

#	W28 Grasshopper	W28 Shinobi	W28 Grand Master	W29 Grasshopper	W29 Shinobi	W29 Grand Master	W30 Grasshopper	W30 Shinobi	W30 Grand Master
1	2,800	1.2	850	160	0.35	0.69	6	7.5	39,094
2	44	2.4	919	87	0.7	1.05	329	15	1.86
3	426	3.6	0.61	245	10.5	6.1	900	22.5	5.46
4	81	7.2	6,700	184	21	990,000	765	45	8.595
5	42	18	85,300	38	21	4,560	73	22.5	0.81
6	402	180	15,034	882	210	760,310	832	45	714,490
7	7,362	$\frac{1}{8}$	23.94	6,020	$\frac{3}{8}$	67,480	20,097	$\frac{3}{20}$	945
8	$\frac{7}{12}$	$\frac{1}{8}$	609,000	$\frac{9}{11}$	$\frac{3}{8}$	219	$\frac{6}{10}$	$\frac{3}{20}$ or 0.15	$\frac{10}{18}$
9	$\frac{3}{36}$	0.125	1,705	$\frac{4}{28}$	0.375	69.21	$\frac{4}{12}$	0.15	$\frac{15}{20}$
10	$\frac{20}{45}$	2	0.509	$\frac{10}{45}$	3	805	$\frac{2}{6}$	1.5	$\frac{3}{25}$

Ninja Challenge

W28 Grasshopper	No, Sam is incorrect; both are equal to 3,600.
W28 Shinobi	No, Iko is incorrect; 80% of 4,520 is equal to 3,616.
W28 Grand Master	No, Iko is incorrect; 67% of 4,300 is equal to 2,881.
W29 Grasshopper	160,283
W29 Shinobi	No, Iko is incorrect; one quarter of 24,000 is 6,000 and 3,000 x 3 = 9,000.
W29 Grand Master	No, Iko is incorrect; 34% of 370 is equal to 125.8.
W30 Grasshopper	No, they are not correct; Tom has 420, Iko has 310 but Sam has 600.
W30 Shinobi	14,464
W30 Grand Master	9,000

ANSWERS

Week 31: Grasshopper

Monday
1. 65,600
2. 8,529
3. 1,320
4. 2,720
5. 1,105
6. 17
7. 4,221
8. 43.6
9. 3,240
10. $\frac{2}{20}$

Tuesday
1. 74,630
2. 5,490
3. 1,870
4. 3,570
5. 1,820
6. 56
7. 2,392
8. 51.9
9. 4,170
10. $\frac{2}{30}$

Wednesday
1. 83,620
2. 5,810
3. 2,420
4. 5,440
5. 1,950
6. 47
7. 2,226
8. 67.8
9. 5,230
10. $\frac{10}{60}$

Thursday
1. 32,420
2. 4,280
3. 286
4. 816
5. 273
6. 55
7. 2,356
8. 91.4
9. 1,140
10. $\frac{15}{28}$

Friday
1. 18,090
2. 999
3. 374
4. 612
5. 611
6. 39
7. 3,404
8. 83.4
9. 7,050
10. $\frac{10}{18}$

Ninja Challenge
No, Tom is incorrect; 1% = 7 and 7 x 62 = 434.

Week 31: Shinobi

Monday
1. 62,500
2. 31,250
3. 3,125
4. 250
5. 125
6. 500
7. $\frac{1}{4}$
8. $\frac{1}{2}$
9. $\frac{1}{2}$
10. 0.5

Tuesday
1. 15
2. 150
3. 15
4. 150
5. 240
6. 240
7. 24
8. 24
9. 48
10. 4.8

Wednesday
1. 4,800
2. 480
3. 48
4. 48
5. 48
6. 48
7. 480
8. 96
9. 9.6
10. 96

Thursday
1. 343
2. 34.3
3. 686
4. 68.6
5. 686
6. 686
7. 1,440
8. 169
9. 196
10. 225

Friday
1. 0.5
2. 1
3. 1.5
4. 3
5. 15
6. 1.5
7. 0.15
8. 0.15
9. 0.3
10. 0.15

Ninja Challenge
Yes, Tom is correct; $\frac{1}{5}$ of 4,500 is 900, and 3 x 900 is 2,700.

Week 31: Grand Master

Monday
1. 793,715
2. 49.68
3. 4.61
4. 11.801
5. 0.81
6. 3,115
7. 235
8. $\frac{3}{120}$
9. $\frac{12}{14}$
10. $\frac{5}{12}$

Tuesday
1. 507,610
2. 70.72
3. 5.17
4. 18.616
5. 1.09
6. 2,982
7. 173
8. $\frac{3}{20}$
9. $\frac{6}{13}$
10. $\frac{2}{8}$

Wednesday
1. 728,752
2. 69.65
3. 4.81
4. 27.266
5. 2.17
6. 3,072
7. 219
8. $\frac{6}{24}$
9. $\frac{12}{13}$
10. $\frac{2}{6}$

Thursday
1. 826,501
2. 90.95
3. 6.67
4. 36.782
5. 3.19
6. 3,645
7. 362
8. $\frac{9}{28}$
9. $\frac{9}{13}$
10. $\frac{2}{25}$

Friday
1. 896,522
2. 106.47
3. 9.08
4. 18.796
5. 7.16
6. 4,653
7. 419
8. $\frac{12}{20}$
9. $\frac{8}{15}$
10. $\frac{2}{12}$

Ninja Challenge
Yes, Iko is correct; $\frac{1}{7}$ of 56,000 is 8,000, and 8,000 x 6 is 48,000.

Week 32: Grasshopper

Monday
1. 41,101
2. 62,788
3. 64.5
4. 13
5. 2,400
6. 6,000
7. 21.6
8. 0.101
9. 4
10. $\frac{5}{18}$

Tuesday
1. 180,076
2. 98,175
3. 5.6
4. 29
5. 3,600
6. 9,000
7. 49.72
8. 1.14
9. 0.6
10. $\frac{5}{27}$

Wednesday
1. 106,562
2. 201,911
3. 10.5
4. 34
5. 5,400
6. 5,000
7. 97.38
8. 1.5
9. 114
10. $\frac{3}{35}$

Thursday
1. 8,344
2. 109,749
3. 29
4. 41
5. 8,100
6. 8,000
7. 114.3
8. 15.6
9. 2,040
10. $\frac{1}{14}$

Friday
1. 10,105
2. 98,735
3. 320
4. 50
5. 5,600
6. 7,000
7. 100.05
8. 100.1
9. 205
10. $\frac{2}{6}$

Ninja Challenge
40,000

Week 32: Shinobi

Monday
1. 13.8
2. 7.75
3. 216
4. 21.6
5. 216
6. 216
7. 216
8. $\frac{9}{15}$
9. 0.6
10. $\frac{9}{15}$ or 0.6

Tuesday
1. 20
2. 200
3. 20
4. 200
5. 320
6. 320
7. 32
8. 32
9. 64
10. 6.4

Wednesday
1. $\frac{3}{8}$
2. $\frac{3}{8}$
3. 0.375
4. 3.75
5. 14
6. 14
7. 14
8. 28
9. 28
10. 28

Thursday
1. $\frac{1}{2}$
2. $1\frac{1}{2}$
3. $1\frac{1}{2}$
4. $1\frac{1}{4}$
5. $1\frac{1}{4}$
6. 1.25
7. 900
8. 1,600
9. 1,960
10. 2,250

Friday
1. 1
2. 2
3. 3
4. 6
5. 6
6. 6
7. 6
8. 6
9. 6
10. 0.1

Ninja Challenge
60,000

Week 32: Grand Master

Monday
1. 197,999
2. 83.58
3. 10.6
4. 4,230
5. 518
6. 3,417
7. 28
8. $3\frac{1}{8}$
9. $1\frac{5}{12}$
10. $6\frac{2}{4}$

Tuesday
1. 480,020
2. 104.84
3. 15.3
4. 3,608
5. 372
6. 1,944
7. 36
8. $3\frac{13}{15}$
9. $1\frac{5}{12}$
10. $3\frac{3}{5}$

Wednesday
1. 267,275
2. 97.73
3. 23.7
4. 2,692
5. 483
6. 2,538
7. 56
8. $3\frac{5}{8}$
9. $1\frac{1}{12}$
10. $4\frac{2}{3}$

Thursday
1. 104,039
2. 124.02
3. 47.6
4. 2,148
5. 665
6. 1,273
7. 49
8. 4
9. $1\frac{9}{10}$
10. $8\frac{2}{3}$

Friday
1. 203,884
2. 46.77
3. 13.5
4. 4,613
5. 837
6. 2,964
7. 45
8. $4\frac{1}{5}$
9. $3\frac{2}{5}$
10. $9\frac{1}{5}$

Ninja Challenge
99,000

Week 33: Grasshopper

Monday
1. 60,000
2. 430,000
3. 168
4. 24
5. 56,000
6. 70
7. 136
8. 1.43
9. 14.7
10. $\frac{4}{9}$

Tuesday
1. 240,000
2. 410,000
3. 148
4. 48
5. 40,000
6. 60
7. 72
8. 10.45
9. 50.7
10. $\frac{7}{10}$

Wednesday
1. 350,000
2. 930,000
3. 184
4. 15
5. 72,000
6. 110
7. 228
8. 108.3
9. 160.9
10. $\frac{12}{12}$

Thursday
1. 190,000
2. 430,000
3. 290
4. 32
5. 56,000
6. 70
7. 628
8. 1.09
9. 200.1
10. $\frac{16}{12}$

Friday
1. 250,000
2. 930,000
3. 396
4. 51
5. 24,000
6. 80
7. 856
8. 1.45
9. 2,001
10. $\frac{10}{17}$

Ninja Challenge
Yes, Cho is correct; 6,000 x 7 = 42,000.

Week 33: Shinobi

Monday
1. 19.8
2. 6.75
3. $6\frac{3}{4}$
4. 0.68
5. 0.68
6. 0.68
7. 15
8. $\frac{4}{5}$
9. 0.8
10. 8

Tuesday
1. 63
2. 630
3. 63
4. 6.3
5. 63
6. 630
7. 6,300
8. 100
9. 100
10. 10

Wednesday
1. $\frac{9}{8}$
2. $\frac{9}{8}$
3. 1.125
4. 11.25
5. 18
6. 18
7. 18
8. 36
9. 36
10. 36

Thursday
1. 0.15
2. 0.15
3. 0.15
4. 1.15
5. 1.15
6. 1.15
7. 2,500
8. 3,600
9. 361
10. 3.61

Friday
1. 0.9
2. 1.8
3. 2.7
4. 5.4
5. 5.4
6. 5.4
7. 5.4
8. 5.4
9. 5.4
10. 0.9

Ninja Challenge
No, Tom is incorrect; 1 − 0.174 = 0.826.

Week 33: Grand Master

Monday
1. 183,934
2. 341,283
3. $\frac{7}{15}$
4. 4,670
5. 935
6. 3,082
7. 41
8. 105.6
9. 4
10. $10\frac{4}{5}$

Tuesday
1. 371,254
2. 502,361
3. $\frac{8}{18}$
4. 5,736
5. 978
6. 4,332
7. 56
8. 191.8
9. $4\frac{4}{10}$
10. $15\frac{3}{7}$

Wednesday
1. 408,363
2. 664,473
3. $\frac{12}{40}$
4. 3,896
5. 728
6. 1,131
7. 67
8. 366.4
9. 7
10. 19

Thursday
1. 298,334
2. 310,288
3. $\frac{6}{20}$
4. 2,303
5. 555
6. 1,458
7. 14
8. 271.5
9. $4\frac{1}{2}$
10. $6\frac{3}{4}$

Friday
1. 193,372
2. 405,361
3. $\frac{20}{42}$
4. 2,712
5. 279
6. 5,076
7. 27
8. 268.8
9. 6
10. $9\frac{1}{3}$

Ninja Challenge
No, Iko is incorrect; $\frac{1}{5}$ of 350,000 is 70,000, and 70,000 x 2 is 140,000.

Arithmetic Ninja 10–11 © Andrew Jennings, 2022

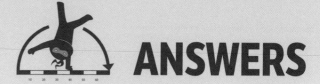
Week 34: Grasshopper

Monday
1. 234
2. 602
3. 4.06
4. 17
5. $\frac{5}{12}$
6. 434,203
7. 103,322
8. 1,656
9. 412
10. $\frac{10}{24}$

Tuesday
1. 102
2. 98
3. 0.146
4. 184
5. $\frac{3}{25}$
6. 202,374
7. 373,381
8. 1,015
9. 554
10. $\frac{3}{24}$

Wednesday
1. 168
2. 840
3. 0.902
4. 1,430
5. $\frac{3}{18}$
6. 750,574
7. 339,582
8. 1,344
9. 398
10. $\frac{3}{15}$

Thursday
1. 297
2. 1,015
3. 10.04
4. 6,700
5. $\frac{8}{18}$
6. 178,443
7. 99,285
8. 2,769
9. 437
10. $\frac{12}{25}$

Friday
1. 420
2. 1,792
3. 14.3
4. 5,750
5. $\frac{8}{20}$
6. 814,571
7. 577,473
8. 2,310
9. 284
10. $\frac{1}{15}$

Ninja Challenge
No, Tom is incorrect; 10% = 9 and 9 x 17 = 153.

Week 34: Shinobi

Monday
1. 29.7
2. 8.75
3. $8\frac{3}{4}$
4. $98\frac{3}{4}$
5. $498\frac{3}{4}$
6. 498.75
7. 62,500
8. $\frac{3}{24}$
9. 0.25
10. 0.125

Tuesday
1. 90
2. 93
3. 90
4. 9
5. 90
6. 900
7. 9,000
8. 160
9. 160
10. 16

Wednesday
1. 1
2. 1
3. 1
4. 0
5. $\frac{1}{2}$
6. 0.5
7. $18\frac{1}{2}$
8. 48
9. 48
10. 48

Thursday
1. 0.9
2. 0.9
3. 2.4
4. 2.4
5. 2.4
6. 29.4
7. 4,900
8. 6,400
9. 196
10. 1.96

Friday
1. 9
2. 18
3. 27
4. 54
5. 54
6. 54
7. 54
8. 54
9. 54
10. 18

Ninja Challenge
Yes, Sam is correct; $\frac{1}{7}$ of 49,000 is 7,000, and 6 x 7,000 is 42,000.

Week 34: Grand Master

Monday
1. 240
2. 40
3. 4,200
4. 24,000
5. 120,000
6. 800
7. 45,000
8. 900
9. 6,000
10. 45,000

Tuesday
1. 280
2. 50
3. 2,400
4. 18,000
5. 540,000
6. 900
7. 42,000
8. 1,200
9. 7,000
10. 48,000

Wednesday
1. 540
2. 80
3. 3,500
4. 27,000
5. 320,000
6. 400
7. 49,000
8. 800
9. 4,000
10. 96,000

Thursday
1. 480
2. 80
3. 4,800
4. 42,000
5. 420,000
6. 600
7. 54,000
8. 600
9. 9,000
10. 80,000

Friday
1. 490
2. 90
3. 3,600
4. 16,000
5. 640,000
6. 500
7. 64,000
8. 300
9. 12,000
10. 160,000

Ninja Challenge
61.27

Week 35: Grasshopper

Monday
1. 342
2. 272
3. $\frac{39}{10}$ or $3\frac{9}{10}$
4. 27.6
5. $\frac{6}{10}$
6. 203,477
7. 99,273
8. 47,371
9. 30,903
10. $\frac{8}{15}$

Tuesday
1. 261
2. 544
3. $\frac{35}{4}$ or $8\frac{3}{4}$
4. 66.6
5. $\frac{8}{11}$
6. 244,333
7. 33,382
8. 12,367
9. 106,001
10. $\frac{5}{4}$ or $1\frac{1}{4}$

Wednesday
1. 324
2. 459
3. $\frac{16}{3}$ or $5\frac{1}{3}$
4. 80.5
5. $\frac{12}{14}$
6. 168,001
7. 126,043
8. 280,070
9. 100,009
10. $\frac{17}{12}$ or $1\frac{5}{12}$

Thursday
1. 558
2. 1,088
3. $7\frac{1}{2}$
4. 111.3
5. $\frac{11}{20}$
6. 214,833
7. 221,342
8. 101,100
9. 202,320
10. $\frac{13}{12}$ or $1\frac{1}{12}$

Friday
1. 657
2. 773.5
3. $\frac{20}{3}$ or $6\frac{2}{3}$
4. 147
5. $\frac{12}{15}$
6. 200,200
7. 108,030
8. 903,083
9. 810,350
10. $\frac{9}{8}$ or $1\frac{1}{8}$

Ninja Challenge
No, Sam is incorrect; 34 x 27 = 918.

Week 35: Shinobi

Monday
1. 15
2. 15
3. 150
4. 150
5. 150
6. 500
7. 500
8. $\frac{3}{48}$
9. 6
10. 6

Tuesday
1. 625
2. 62.5
3. 6.25
4. 27
5. 54
6. 108
7. 216
8. 48
9. 48
10. 480

Wednesday
1. 2
2. 2
3. 2
4. 1
5. 1
6. 1
7. 49
8. 49
9. 150
10. 150

Thursday
1. 0.825
2. 0.825
3. 825
4. 6.6
5. 6.6
6. 2
7. 1,331
8. 1,331
9. 133.1
10. 2,662

Friday
1. 8
2. 160
3. 168
4. 336
5. 168
6. 168
7. 168
8. 336
9. 168
10. 16.8

Ninja Challenge
17,160

Week 35: Grand Master

Monday
1. 7
2. 90
3. 600
4. 40
5. 80
6. 500
7. 8
8. 30
9. 12
10. 400

Tuesday
1. 6
2. 20
3. 400
4. 50
5. 30
6. 400
7. 3
8. 30
9. 6
10. 600

Wednesday
1. 90
2. 90
3. 500
4. 70
5. 50
6. 400
7. 4
8. 70
9. 6
10. 900

Thursday
1. 40
2. 60
3. 400
4. 30
5. 20
6. 300
7. 6
8. 50
9. 12
10. 800

Friday
1. 40
2. 60
3. 700
4. 60
5. 20
6. 600
7. 8
8. 20
9. 9
10. 300

Ninja Challenge
No, Cho is incorrect; $\frac{1}{5}$ of 3,500 is 700, and 700 x 3 is 2,100.

Week 36: Grasshopper

Monday
1. 46.2
2. 61.2
3. 124
4. 9
5. $\frac{12}{15}$
6. 132,313
7. 25,654
8. 47.9
9. 44.62
10. $\frac{7}{8}$

Tuesday
1. 39.9
2. 21.6
3. 145
4. 25
5. $\frac{8}{12}$
6. 142,094
7. 62,949
8. 17.3
9. 65.06
10. $\frac{5}{9}$

Wednesday
1. 26.25
2. 29.52
3. 123
4. 40
5. $\frac{16}{19}$
6. 153,764
7. 63,704
8. 25.1
9. 38.35
10. $\frac{4}{9}$

Thursday
1. 20.16
2. 15.66
3. 149
4. 45
5. $\frac{4}{5}$
6. 213,218
7. 192,047
8. 53.07
9. 19.77
10. $\frac{6}{12}$

Friday
1. 18.9
2. 13.5
3. 129
4. 18
5. $\frac{4}{3}$ or $1\frac{1}{3}$
6. 168,827
7. 99,600
8. 42.57
9. 21.46
10. $\frac{12}{8}$ or $1\frac{1}{2}$

Ninja Challenge
No, Iko is incorrect; 174 x 5 = 870.

Week 36: Shinobi

Monday
1. 1
2. 3
3. 9
4. 0.9
5. 3
6. 750
7. 750
8. 3
9. 3
10. 1.5

Tuesday
1. 1,100
2. 11,000
3. 2,200
4. 48
5. 48
6. 96
7. 96
8. 32
9. 32
10. 320

Wednesday
1. 2
2. 2
3. 2
4. 1
5. 1
6. 1
7. 61
8. 61
9. 132
10. 264

Thursday
1. 0.741
2. $\frac{3}{10}$
3. 447
4. 6.7
5. $\frac{7}{2}$ or $3\frac{1}{2}$
6. $\frac{11}{9}$ or $1\frac{2}{9}$
7. 216
8. 216
9. 21.6
10. 43.2

Friday
1. 6
2. 120
3. 126
4. 252
5. 126
6. 126
7. 126
8. 252
9. 126
10. 12.6

Ninja Challenge
No, Iko is incorrect; 37% of 870 is equal to 321.9.

Week 36: Grand Master

Monday
1. 3,000
2. 0.541
3. 74.7
4. 112,337
5. 468,371
6. 1,010
7. 700
8. 50
9. 9
10. 300

Tuesday
1. 3,200
2. 0.605
3. 57.48
4. 14,384
5. 429,480
6. 1,100
7. 800
8. 90
9. 80
10. 400

Wednesday
1. 600
2. 0.793
3. 137.13
4. 351,405
5. 617,280
6. 2,010
7. 700
8. 40
9. 40
10. 700

Thursday
1. 1,200
2. 0.193
3. 186.08
4. 423,380
5. 769,990
6. 3,310
7. 800
8. 40
9. 90
10. 80

Friday
1. 1,400
2. 0.874
3. 243.45
4. 634,477
5. 464,560
6. 3,031
7. 700
8. 30
9. 70
10. 30

Ninja Challenge
73.35

ANSWERS

Week 37: Grasshopper	Week 37: Shinobi	Week 37: Grand Master	Week 38: Grasshopper	Week 38: Shinobi	Week 38: Grand Master	Week 39: Grasshopper	Week 39: Shinobi	Week 39: Grand Master

Monday

Grasshopper	Shinobi	Grand Master	Grasshopper	Shinobi	Grand Master	Grasshopper	Shinobi	Grand Master
1. 276	1. 1	1. 4,500	1. 1,224	1. 4	1. 272	1. 1,746	1. 2	1. 48
2. 865	2. 2	2. 1.874	2. 253	2. 4	2. 56	2. 32	2. 2	2. 31
3. 198	3. 3	3. 398.82	3. 25.4	3. 4	3. 62,000	3. 1,040	3. 2	3. 104,384
4. 200	4. 1	4. 391,371	4. 12,500	4. 40	4. 351,643	4. 25,600	4. 20	4. 50,475
5. $\frac{4}{6}$	5. 2	5. 578,351	5. 1.63	5. 8	5. 96.2	5. 1.06	5. 4	5. 564
6. 23,043	6. 20	6. 13,270	6. 64	6. 80	6. 32,000	6. 48	6. 40	6. 350,000
7. 10,695	7. 20	7. 6,300	7. 1.29	7. 80	7. 18,000	7. 33.8	7. 40	7. 72,000
8. 14.57	8. 40	8. 700	8. 58	8. 80	8. $\frac{6}{20}$	8. 96	8. 40	8. $\frac{1}{6}$
9. 0.46	9. 40	9. 90,000	9. $\frac{9}{20}$	9. 40	9. $2\frac{1}{12}$	9. $\frac{3}{10}$	9. 40	9. $3\frac{7}{8}$
10. $\frac{15}{10}$ or $1\frac{5}{10}$	10. 40	10. 800	10. $2\frac{8}{15}$	10. 40	10. $1\frac{5}{8}$	10. $5\frac{1}{6}$	10. 40	10. $2\frac{7}{8}$

Tuesday

Grasshopper	Shinobi	Grand Master	Grasshopper	Shinobi	Grand Master	Grasshopper	Shinobi	Grand Master
1. 266	1. 1,100	1. 7,200	1. 1,560	1. 600	1. 768	1. 2,184	1. 800	1. 57
2. 1,254	2. 2,500	2. 2.056	2. 274	2. 2,500	2. 62	2. 71	2. 2,500	2. 47
3. 176	3. 3,600	3. 216.58	3. 30.5	3. 3,100	3. 591,012	3. 23,500	3. 3,300	3. 230,879
4. 300	4. 63	4. 273,463	4. 17,900	4. 36	4. 841,995	4. 17,400	4. 48	4. 60,561
5. $\frac{8}{9}$	5. 63	5. 647,445	5. 2.05	5. 72	5. 115.6	5. 1.94	5. 96	5. 689
6. 23,534	6. 126	6. 14,050	6. 79	6. 72	6. 42,000	6. 66	6. 96	6. 490,000
7. 4,330	7. 126	7. 4,800	7. 3.27	7. 72	7. 20,000	7. 21.4	7. 96	7. 18,000
8. 3.57	8. 64	8. 400	8. 62	8. 80	8. $\frac{8}{21}$	8. 116	8. 4,000	8. $\frac{4}{5}$
9. 0.83	9. 6.4	9. 40,000	9. $\frac{3}{6}$	9. 800	9. $2\frac{5}{12}$	9. $\frac{4}{8}$	9. 400	9. $2\frac{7}{9}$
10. $\frac{14}{9}$ or $1\frac{5}{9}$	10. 128	10. 700	10. $\frac{25}{9}$ or $2\frac{7}{9}$	10. 80	10. $\frac{3}{6}$	10. $4\frac{9}{10}$	10. 40	10. $1\frac{3}{8}$

Wednesday

Grasshopper	Shinobi	Grand Master	Grasshopper	Shinobi	Grand Master	Grasshopper	Shinobi	Grand Master
1. 544	1. $5\frac{1}{4}$	1. 7,200	1. 1,962	1. $5\frac{1}{4}$	1. 1,792	1. 1,898	1. $12\frac{1}{2}$	1. 64
2. 1,113	2. 5.25	2. 3.904	2. 253	2. 5.5	2. 72	2. 24	2. 12.5	2. 68
3. 184	3. 2	3. 143.4	3. 130.7	3. 2	3. 549,934	3. 19,800	3. 2	3. 370,460
4. 560	4. $\frac{4}{5}$	4. 224,102	4. 6,700	4. $\frac{3}{10}$ or 0.3	4. 300,923	4. 205,000	4. 3.3	4. 194,322
5. $\frac{10}{12}$	5. 0.8	5. 635,443	5. 1.94	5. 0.3	5. 110.4	5. 14.95	5. 3.3	5. 1,273
6. 29,194	6. 0.3	6. 13,850	6. 134	6. 0.29	6. 49,000	6. 96	6. 0.39	6. 490,000
7. 3,290	7. 77	7. 4,800	7. 1.57	7. 81	7. 40,000	7. 55.8	7. 121	7. 40,000
8. 2.87	8. 77	8. 900	8. 15.6	8. 81	8. $\frac{6}{28}$	8. 146	8. 121	8. $\frac{2}{9}$
9. 0.06	9. 154	9. 90,000	9. $\frac{2}{6}$	9. 162	9. $3\frac{11}{20}$	9. $1\frac{5}{12}$	9. 242	9. $3\frac{11}{12}$
10. $\frac{4}{9}$	10. 7.7	10. 120	10. $3\frac{1}{10}$	10. 8.1	10. $2\frac{8}{10}$	10. $4\frac{4}{5}$	10. 12.1	10. $2\frac{5}{10}$

Thursday

Grasshopper	Shinobi	Grand Master	Grasshopper	Shinobi	Grand Master	Grasshopper	Shinobi	Grand Master
1. 184	1. 0.4	1. 63,000	1. 2,688	1. 0.936	1. 2,068	1. 1,083	1. 0.2	1. 68
2. 1,696	2. 0.4	2. 4.509	2. 267	2. $\frac{2}{15}$	2. 65	2. 62	2. 0.2	2. 71
3. 165	3. 15,600	3. 189.72	3. 245	3. 752	3. 383,989	3. 27,300	3. 25,600	3. 420,375
4. 560	4. $9\frac{1}{4}$	4. 246,432	4. 5,670	4. 8.3	4. 268,675	4. 319,000	4. 14.25	4. 223,412
5. $\frac{18}{20}$	5. $9\frac{1}{4}$	5. 954,398	5. 0.57	5. $\frac{33}{4}$ or $8\frac{1}{4}$	5. 233.6	5. 20.67	5. $14\frac{1}{4}$	5. 1,656
6. 30,557	6. $9\frac{1}{2}$	6. 9,050	6. 8.4	6. 1.55	6. 54,000	6. 123	6. $14\frac{1}{2}$	6. 240,000
7. 5,429	7. 9.5	7. 5,400	7. 2.09	7. 64	7. 28,000	7. 67.9	7. 14.5	7. 42,000
8. 14.53	8. 625	8. 1,100	8. 21.6	8. 64	8. $\frac{2}{40}$	8. 194	8. 81	8. $\frac{5}{6}$
9. 0.37	9. 625	9. 80,000	9. $\frac{5}{14}$	9. 6.4	9. $4\frac{14}{20}$	9. $\frac{6}{12}$	9. 81	9. $3\frac{3}{12}$
10. $\frac{3}{8}$	10. 625	10. 90	10. $3\frac{1}{10}$	10. 640	10. $1\frac{1}{6}$	10. $2\frac{1}{12}$	10. 40.5	10. $1\frac{4}{6}$

Friday

Grasshopper	Shinobi	Grand Master	Grasshopper	Shinobi	Grand Master	Grasshopper	Shinobi	Grand Master
1. 87	1. 9.5	1. 81,000	1. 1,752	1. 7	1. 3,484	1. 1,665	1. 0.7	1. 74
2. 2,061	2. 19	2. 8.307	2. 248	2. 140	2. 78	2. 36	2. 1.4	2. 75
3. 194	3. 28.5	3. 275.57	3. 126.3	3. 147	3. 30,055	3. 30,300	3. 2.1	3. 647,451
4. 360	4. 810	4. 489,983	4. 560	4. 294	4. 172,860	4. 401,000	4. 63	4. 190,341
5. $\frac{20}{21}$	5. 45	5. 586,323	5. 1.84	5. 147	5. 314.9	5. 10.48	5. 630	5. 3,108
6. 33,797	6. 855	6. 20,560	6. 26.3	6. 147	6. 28,000	6. 189	6. 630	6. 240,000
7. 3,952	7. 855	7. 8,100	7. 1.43	7. 147	7. 45,000	7. 91.7	7. 630	7. 48,000
8. 4.05	8. 855	8. 600	8. 70	8. 294	8. $\frac{8}{15}$	8. 512	8. 630	8. $\frac{4}{12}$
9. 0.96	9. 855	9. 20,000	9. $\frac{17}{16}$ or $1\frac{1}{16}$	9. 147	9. $3\frac{7}{8}$	9. $9\frac{5}{10}$	9. 630	9. $2\frac{7}{8}$
10. $\frac{9}{15}$	10. 85.5	10. 90	10. $\frac{44}{9}$ or $4\frac{8}{9}$	10. 14.7	10. $\frac{7}{8}$	10. $3\frac{10}{12}$	10. 6.3	10. $2\frac{5}{18}$

Ninja Challenge

Grasshopper	Shinobi	Grand Master	Grasshopper	Shinobi	Grand Master	Grasshopper	Shinobi	Grand Master
No, Tom is incorrect; 1% = 23 and 23 x 87 = 2,001.	796,257	579,539.11	No, Iko is incorrect; 10 − 17.56 = 82.44.	275,470	37,740	No, Iko is incorrect; 1,000 − 750.56 = 249.44.	No, Sam is incorrect; $\frac{1}{4}$ of 28,000 is 7,000, and 3 x 7,000 is 21,000.	No, Iko is incorrect; $\frac{1}{3}$ of 270,000 is 90,000, and 90,000 x 2 is 180,000.

Arithmetic Ninja 10–11 © Andrew Jennings, 2022